P9-EAX-987

MARIAN SZYROCKI

# ANDREAS GRYPHIUS

## SEIN LEBEN UND WERK

MAX NIEMEYER VERLAG TÜBINGEN 1964

*Mit 5 Abbildungen im Text und 4 Abbildungen auf Tafeln*

LIBRARY

JUL 1 2 1966

UNIVERSITY OF THE PACIFIC

151699

©

Max Niemeyer Verlag Tübingen 1964

Alle Rechte vorbehalten · Printed in Germany

Satz und Druck: Wenzlaff KG, Kempten

# INHALT

Vorwort . . . . . . . . . . . . . . . . . . . . . 7
Biographie . . . . . . . . . . . . . . . . . . . 9
   Schlesien im 17. Jahrhundert . . . . . . . . . . . . 9
   Kindheit und frühe Jugend . . . . . . . . . . . . 13
   Danzig . . . . . . . . . . . . . . . . . . 20
   Schönborn . . . . . . . . . . . . . . . . . . 25
   Leyden . . . . . . . . . . . . . . . . . . 28
   Reise nach Frankreich und Italien, Aufenthalt in Straßburg . . . 31
   Rückkehr nach Schlesien . . . . . . . . . . . . 33
Lateinische Dichtung . . . . . . . . . . . . . . . 38
   Die Herodesepen . . . . . . . . . . . . . . . 38
   Parnassus renovatus und andere Gedichte . . . . . . . . 43
   Olivetum . . . . . . . . . . . . . . . . . . 45
Lyrik . . . . . . . . . . . . . . . . . . . . 48
   Sprache und Stil . . . . . . . . . . . . . . . 49
   Thematik . . . . . . . . . . . . . . . . . . 54
   Lissaer Sonette . . . . . . . . . . . . . . . . 55
   Erstes und zweites Sonettbuch, Sonette aus dem Nachlaß . . . 61
   Sonn- und Feiertagssonette . . . . . . . . . . . . 65
   Oden . . . . . . . . . . . . . . . . . . . 68
   Epigramme . . . . . . . . . . . . . . . . . . 72
   Vermischte Gedichte . . . . . . . . . . . . . . 74
Trauerspiele . . . . . . . . . . . . . . . . . . 78
   Leo Armenius . . . . . . . . . . . . . . . . . 79
   Catharina von Georgien . . . . . . . . . . . . . 86
   Carolus Stuardus . . . . . . . . . . . . . . . 89
   Papinianus . . . . . . . . . . . . . . . . . . 92
   Cardenio und Celinde . . . . . . . . . . . . . . 95
   Übersetzungen . . . . . . . . . . . . . . . . . 99
   Aufführungen . . . . . . . . . . . . . . . . . 101

Lustspiele . . . . . . . . . . . . . . . . . 103
    Peter Squentz . . . . . . . . . . . . . . . . 103
    Horribilicribrifax . . . . . . . . . . . . . . 105
    Verliebtes Gespenst und Geliebte Dornrose . . . . . . . 108
    Majuma . . . . . . . . . . . . . . . . . 110
    Piastus . . . . . . . . . . . . . . . . . 112
    Übersetzungen . . . . . . . . . . . . . . . 113

Prosa . . . . . . . . . . . . . . . . . 115
    Feurige Freystadt . . . . . . . . . . . . . 115
    Leichabdankungen . . . . . . . . . . . . . . 116

Anmerkungen . . . . . . . . . . . . . . 119
Literaturverzeichnis . . . . . . . . . . . . . 129
Namenregister . . . . . . . . . . . . . . 134

# VORWORT

Andreas Gryphius, der sprachgewaltige Lyriker und erste bedeutende deutsche Kunstdramatiker, ist für uns heute neben Grimmelshausen der hervorragendste Repräsentant der deutschen Dichtung des 17. Jahrhunderts. Einige seiner Sonette und Oden gehören zu den vollendetsten Leistungen deutscher Lyrik, seine Tragödien spielen in der Entwicklung der Gattung eine wichtige Rolle und seine Lustspiele werden noch bis zum heutigen Tage durch Laienbühnen aufgeführt. Sein Werk zeichnet sich sowohl durch tiefe Humanität und Wahrhaftigkeit als auch durch eine ungewöhnliche Formkraft aus.

Das Interesse, das das Leben und die Dichtung von Gryphius wachgerufen haben, fand einen Niederschlag in zahlreichen Büchern und Aufsätzen. Die wichtigsten biographischen Informationen über den Dichter verdanken wir den alten Lebensbeschreibungen von Stosch und Leubscher, die sich auf das inzwischen verschollene Tagebuch des Dichters stützen konnten. Eine Zusammenstellung der Literatur über den Dichter bringen wir am Ende des Buches. Aus diesem Grunde seien hier nur einige der wichtigsten Arbeiten erwähnt. Eine gewissenhafte und materialreiche Untersuchung der Lyrik von Gryphius veröffentlichte Victor Manheimer. Willi Flemming schrieb das umfangreiche Werk „Gryphius und die Bühne", F. W. Wentzlaff-Eggebert machte sich um die Erforschung der lateinischen Dichtung des Schlesiers und seiner Übersetzungen aus dieser Sprache verdient. Hugh Powell beschäftigt sich seit Jahren mit den Dramen von Gryphius. Albrecht Schöne hat durch seine Strukturanalyse des *Carolus Stuardus* der Gryphiusforschung neue Perspektiven gewiesen. Ich selbst stellte die Jugend von Gryphius in einer Abhandlung dar, deren Ergebnisse ich zum Teil in der vorliegenden Arbeit verwerten konnte.

Trotz der vielen Bemühungen um die wissenschaftliche Erschließung von Gryphius' Werk ist der Forschungsstand noch recht unbefriedigend. Ein Hauptgrund dafür ist, daß die historisch-kritische Gesamtausgabe seiner deutschsprachigen Werke erst Ende 1963 zu erscheinen begann. Deshalb ist noch heute eine umfassende Monographie über Andreas Gryphius verfrüht, ja unmöglich.

Das Ziel der vorliegenden Arbeit ist es, unter Berücksichtigung der bisherigen Forschung und auf Grund eigener Untersuchungen in Kürze ein zusammenfassendes Bild von Gryphius' Leben und Werk zu geben. Sie möchte sowohl die zum Teil veralteten Urteile berichtigen, die man bis heute in Literaturgeschichten findet, als auch einen Ausgangspunkt für weitere Gryphius-Studien schaffen.

Den Herren Professoren Hugh Powell und Albrecht Schöne fühle ich mich für mannigfache Anregungen sehr verpflichtet. Besonderen Dank schulde ich Herrn Professor Henri Plard, der das Manuskript vor dem Druck gelesen und mir wertvolle Hinweise gegeben hat.

Im Mai 1964                                      M. S.

Abb. 1. Andreas Gryphius, nach einem Stich von Philip Kilian (Foto: Handke)

## ANDREÆ GRYPHII
# EPIGRAMMATA
### Oder
# Beyschriften.

### Das I. Buch
#### I. Uber die Geburt des HErrn Jesu.

WIlkommen süße Nacht/ die du des Tages Last/
Und des Gesetzes Joch gantz von uns weg
genommen:
Die du/in dem das Licht ist von dem Himmel
kommen
An stat des Monden: Gott/der Sternen: Engel hast.

#### II. An die Weisen aus Morgenland.
Schawt Weise Seelen schawt des Himmels newen Lauff;
Euch geht die Sonn' im West und mit der Jungfraw auf!

#### III. An die Weisen.
Ihr habt vom Himmel selbst die Sternen-Kunst gewonnen:
Der newe Morgenstern zeigt euch die newe Sonnen.

#### IV. An die Weisen.
Ists Wunder/wenn vom Volck hier Fürsten Schatzung
heben:
Daß Weisen ein Geschenck der Weißheit Fürsten geben.

A 2                    V. Uber

Abb. 2.  Textseite aus der Ausgabe der Epigramme von 1663

Abb. 3. Szene aus Katharina von Georgien. Radierung von Johann Using 1655

Abb. 4.   Titelbild zu den Ausgaben der gesammelten Werke
aus den Jahren 1657 und 1663.

# BIOGRAPHIE

*Schlesien im 17. Jahrhundert*

Im 17. Jahrhundert erlebte die deutsche Dichtung in Schlesien eine einzigartige Blüte. Von ihr zeugen die Namen eines Opitz, Gryphius, Logau, Czepko, Scheffler, Hofmann von Hofmannswaldau und Casper von Lohenstein. Die große Zahl dieser Dichter und die Rolle, die sie in der damaligen Dichtung spielten, erlaubten den Schluß, daß es im Schlesien des 17. Jahrhunderts für eine fruchtbare Literaturentwicklung besonders günstige Voraussetzungen gegeben hat. Zu ihnen gehört wohl zumeist ein gewisser materieller Wohlstand des betreffenden Gebietes oder zumindest der Klasse, die als Mäzen auftritt. Indes scheint es in Schlesien gerade umgekehrt gewesen zu sein. „Nur das Schlesien großer Not . . . ist das Schlesien der Dichtung und des neuen Denkens", behauptet Schöffler.[1] Gegen diese Verallgemeinerung ist schon Willi Flemming aufgetreten. Neue Ergebnisse der Geschichtsforschung[2] beweisen, daß die allgemeine materielle Not in Schlesien erst in den dreißiger Jahren des 17. Jahrhunderts begann. Die schwere Zeit aber, die darauf folgte, verbrachten die bedeutendsten schlesischen Dichter außerhalb Schlesiens in Polen und in Westeuropa oder im Schutz der Mauern der beiden Städte Breslau und Brieg, die den ganzen Krieg hindurch unversehrt blieben. Sogar die Werke der Dichter erschienen während der schweren Jahre 1632–1648 mit wenigen Ausnahmen im Ausland. Nach Kriegsschluß erlebten vor allem die großen schlesischen Städte dank der starken Entwicklung des Handwerks und des Handels einen raschen wirtschaftlichen Aufschwung.

Die gute wirtschaftliche Lage allein kann natürlich nicht eine literarische Blüte hervorzaubern. Günstig wirkte sich für die Literaturentwicklung die Sonderstellung aus, die Schlesien im Rahmen des deutschen Reiches einnahm. In gesellschaftlicher, konfessioneller, weltanschaulicher, nationaler, ja sogar in kultureller Hinsicht bot das Land ein buntes Durcheinander. Dadurch entstand eine Spannung zwischen den einzelnen Lagern, eine Atmosphäre der Diskussion und Kritik, die sich gegen eine Erstarrung der Tradition und jedes Dogma richtete und neuen Strömungen den Weg bedeutend erleichterte. Von der allgemeinen Unruhe zeugte schon vor Ausbruch des dreißigjährigen Krieges eine Reihe von Rebellionen und Auseinandersetzungen im ganzen Land.[3] Auch der Kampf um die Vormachtstellung in Wirtschaft und Handel zwischen Bürgertum und Adel, zwischen den Städten und den Feudalherren trug zu der Ausbildung einer breiten, gegen die absolutistischen Tendenzen Habsburgs gerichteten Front bei. Dazu kam noch die einzigartige religiöse Situation des Landes. Die Piastenfürsten von Liegnitz, Brieg und Wohlau waren reformiert, ihre Untertanen dagegen meist Lutheraner. Die Katholiken fühlten sich stark dank der Unterstützung Habsburgs. Diese Situation erklärt sowohl die politische Schwäche der Piastenfürsten als auch ihre Abneigung gegen Habsburg, das in Schlesien zahlreiche Erblande besaß.

Überdies war Schlesien ein Zufluchtsort für zahlreiche Sekten, für Wiedertäufer, Böhmische Brüder, Sozinianer, die auch Arianer oder Polnische Brüder genannt wurden. In hitzigen Diskussionen bekämpfte man sich gegenseitig, und kein Dogma, kein Heiligtum hat man dabei geschont. Dies förderte das kritische Denken der Menschen, die ihrerseits die Divergenz von Theorie und Praxis, von Glauben und Leben während des im Namen der Religion geführten dreißigjährigen Krieges am eigenen Leibe zu spüren bekamen. Der Dichter Daniel Czepko schrieb in den dreißiger Jahren des 17. Jahrhunderts: „So werden [den Menschen] alle Zeit Palmen und Ölzweige, Genade und Freiheit, Altäre und Kirchen vorgemahlet, unter welchen nichts als Harnisch und Waffen, Joch und Bande, Cepter und Cronen verborgen liegen ..."[4]

Bezeichnend für die Schwäche der Landesfürsten war das Fehlen einer Landesuniversität. Es war der einzige Ausnahmefall im ganzen Reich. So mußten die Schlesier „in die Welt hinausziehn", um von dort ihr Wissen zu holen. Sie gingen in das Akademische Gymnasium nach Danzig, studierten gern in Leyden und an anderen westeuropäischen Universitäten. Dort lernten sie die fortschrittlichste Wissenschaft und die neuesten Kunstströmungen kennen.

Enge Beziehungen bestanden auch zwischen Schlesien und dem Königreich Polen. Der Handel mit Polen bildete eine Hauptquelle des Wohlstandes der schlesischen Städte. Gleichzeitig fand ein reger kultureller Austausch statt.⁵ So kam es, daß sich in Schlesien Ideen aus West und Ost, aus Süd und Nord kreuzten.

Bis zum Auftreten von Martin Opitz haben die Gebildeten des Landes fast ausschließlich der neulateinischen Poesie gehuldigt. Die Dichtung in deutscher Sprache nahm nur einen bescheidenen Platz ein. Man beschrieb meist im Knittelvers Schlachten, Stadtbrände und andere Tagessensationen und verfaßte Spiele und Lieder. Diese Dichtung, die man selbst für minderwertig hielt, richtete sich an die unteren Stände. Als Elias Lange im Jahre 1616, also im Geburtsjahr von Gryphius, eine Beschreibung des Brandes von Glogau veröffentlichte, schrieb er:

> Als hab ich solch schrecklich Geschicht
> Wolln bringen in dieß Deutsch Gedicht,
> Zu Lieb und Dienst dem gmeinen Man,
> Der es am besten fassen kann.⁶

Gegen die Geringschätzung der deutschen Sprache trat Martin Opitz, damals ein 20jähriger Schüler des Akademischen Gymnasiums zu Beuthen a. d. Oder, mit Schärfe und Überzeugungskraft auf.⁷ Gleichzeitig stellte er die kompromißlose These auf, daß die Sprachen der Griechen und Römer schon vor vielen Jahrhunderten entartet seien und ihr endgültiger Verfall unabwendbar sei. Opitz wandte sich dabei gegen die Überschätzung der Form bei gleichzeitiger Vernachlässigung des Gehalts, also gegen die Tradition der inhaltsseichten lateinischen Elukubrationen. „Lüsterne Afterredner erstanden", schrieb er in seinem *Aristarchus*, „die lieber witzige Zoten vorbrachten als edel redeten. Alle Mühe, alle eifrige Arbeit verwandten sie auf die peinliche Genauigkeit des Ausdrucks, und während sie ängstlich Kraft zu heucheln suchten, vernichteten sie den edlen Sinn der Rede und wurden kraft- und saftlos."⁸

Es scheint unerklärlich, wie Opitz es wagen konnte, in einem schlesischen Gymnasium mit solcher Schärfe das Latein anzugreifen. Die Hauptaufgabe der Gymnasien war ja, aus den Schülern in jahrelanger Arbeit ausgezeichnete Lateiner und elegante Redner zu machen. Der Angriff gegen dieses Bildungsideal wäre wohl in keinem Gymnasium des Landes möglich gewesen außer in der neuen reformierten Lehranstalt in Beuthen a. d. Oder, einem kleinen Ort an der polnischen Grenze. Neben den Kalvinisten lehrten hier die verschiedensten Sek-

11

tierer, die Wiedertäufer, Sozinianer und die Böhmischen Brüder. Die Schüler stammten vor allem aus Schlesien, Polen und Böhmen. Über die Rolle, die das Beuthener Gymnasium spielte, äußerte sich später ein Glogauer Jesuit: „Zum größten Nachteil der guten Menschen blüht in Beuthen a. d. Oder ein Gymnasium, aus dem allerlei Sektenführer, wie einst die Krieger aus dem Trojanischen Pferd, bis auf den heutigen Tag herauskommen, die die Samen ihrer verderblichen Lehre den zarten Gemütern einflößen und mit fleißvoller Sorge eine ihrer Natur entsprechende und überaus reiche Frucht hervorbringen. Dies Gymnasium, aller Frevel Unflat, ist vom verstorbenen Herrn Schönaich höchst freigebig versorgt worden".[9]

Die Sekten traten entschieden gegen das allgewaltige Latein auf und bemühten sich um die Pflege der Nationalsprache. So zählte zu den Professoren von Opitz Georg Manlius[10], der ehemalige Rektor der berühmten polnischen Sozinianer-Akademie in Rakow, die sich bleibende Verdienste um die polnische Sprache und Dichtung erwarb. Die Ansichten der gelehrten Sektierer, die mit der Sprach- und Literaturentwicklung in Westeuropa im Einklang standen, fanden in Opitz einen begeisterten Verfechter. Er wandte sich gegen die grenzenlose Anbetung des Ausländischen, gegen die Verunreinigung der deutschen Sprache und stellte die damals kühne Behauptung auf, daß die deutsche Sprache den anderen europäischen Sprachen sowohl in der Prosa als auch in der Poesie ebenbürtig sei. Einige Proben seiner Gedichte dienten als praktischer Beweis. Durch die Anwendung des Alexandriners und des Zehnsilbenverses bewies Opitz, daß die Deutschen in denselben Versmaßen wie die Ausländer dichten könnten. Sein kompromißloses Programm der deutschen Nationaldichtung, den *Aristarchus*, veröffentlichte er in der Druckerei des Gymnasiums. So wurde Beuthen, ein halb polnischer Ort an der Grenze des Reiches, die Geburtsstätte der neueren deutschsprachigen Dichtung. Aber gerade hier war die Tradition am schwächsten und konnte dem Neuen keinen entscheidenden Widerstand leisten.

Die Lehrstätte hatte eine große Ausstrahlungskraft und bald wurde man auf sie aufmerksam. Nach jahrelangen Untersuchungen und Prozessen ließ der Kaiser die Akademie im Jahre 1628 wegen sektiererischer Umtriebe schließen.[11] Schönaich wurde mit einer Geldbuße von 54 444 Talern belegt und mußte sich den Verfolgungen durch die Flucht nach Polen entziehen. Das ganze Gut des Gymnasiums übernahmen die Jesuiten aus dem nahen Glogau. Die Beuthener Lehrer und Schüler zogen zum großen Teil über die Grenze nach Lissa in Polen und bald erlebte das dortige reformierte Gymnasium seine größte Blüte. Hier, in derselben Atmosphäre, in der Opitz den entscheidenden Schritt zur deutschen Nationaldichtung machte, entwarf ein Dutzend Jahre später Amos Comenius seine berühmte didaktische Lehre. Comenius führte in dem Werk *Janua linguarum reserata* eine Kritik der alten, feudalen Schule durch, indem er auf die Nutzlosigkeit der rein altphilologischen, grammatisch-rhetorischen Schulbildung für das praktische Leben hinwies und sich, wie früher schon Opitz, gegen das Latein als Hauptfach wandte. Gleichzeitig trat er für die Pflege der Nationalsprache ein.

Unweit von Beuthen und Lissa wuchs Andreas Gryphius auf. Er verbrachte in den Orten Glogau, Driebitz und Fraustadt den größten Teil seines Lebens, also in einer Gegend, wo die weltanschaulichen Auseinandersetzungen zwischen den Katholiken, Lutheranern, Reformierten und Sektierern am heftigsten waren. Dies blieb auf sein Werk nicht ohne Einfluß.

*Kindheit und frühe Jugend*

Andreas Gryphius kam am 2. Oktober 1616 in Glogau als Sohn des Archidiakons der lutherischen Kirche zur Welt.[12] Die Stadt, die ein Jahr vorher niedergebrannt war, lag noch zum großen Teil in Schutt und Asche. Kurz nach Andreas' Geburt kam es zu einer Rebellion der lutherischen Bürger gegen den katholischen Landeshauptmann, der es ihnen verwehrte, auf dem sogenannten Tummelplatz Kirche und Schule zu errichten. Die Rebellen schlugen die Stadttore ein, die geschlossen gehalten wurden, und nahmen den katholischen Bürgermeister in Haft. Der verhaßte Landeshauptmann Rudolf von Oppersdorf mußte aufs Schloß flüchten.[13] Im Jahre 1618 brach der dreißigjährige Krieg aus, dessen Nöte und Greuel das Leben und Schaffen von Andreas Gryphius weithin bestimmten.

Der Vater des Dichters nahm als Anführer der lutherischen Gemeinde an den religiösen und politischen Auseinandersetzungen der Zeit teil. Andreas war das jüngste Kind aus seiner dritten Ehe. Seine Mutter Anna Erhard war die Tochter eines Offiziers des Herzogs von Alba.

13

Der Altersunterschied der Eltern betrug 32 Jahre, und der Vater starb schon am 5. Januar 1621, im fünften Lebensjahr des Andreas. Der Dichter beklagte seinen Tod später in dem Gedicht *In einer tödlichen Kranckheit:*

> ... eh mich das vierdte Jahr
> Der vierdte Winter fand / lag dieser auf der Bahr
> Den ich mich schuldig bin / und diß mein müdes Leben;
> Er fiel durch Gifft / das ihm ein falscher Freund gegeben /
> Der offt vor seinem Muth und hohen Geist erblast.[14]

Die Annahme, daß der Vater des Dichters wirklich durch Gift gestorben sei, wie manche Gryphiusforscher behaupten, beruht auf einem Mißverständnis. Den Ausdruck „Gift" gebraucht Gryphius nämlich oft im Sinne von „Verleumdung" oder „Anfeindung".[15] Die oben zitierte Stelle des Gedichtes könnte demnach etwa folgendermaßen gedeutet werden: Paul Gryphius, den die Zeitereignisse und Anfeindungen sehr erschüttert und mitgenommen hatten, starb plötzlich an einem Herzanfall. Einen Mörder hätte der Dichter wohl mit einem stärkeren Ausdruck und nicht bloß als „falschen Freund" bezeichnet. Wenn Gift wörtlich zu verstehen wäre, dann hätte Gryphius sicher eine Bezeichnung wie Meuchelmörder, Mordgeselle oder ähnliches gebraucht.

Die Anfeindungen, denen Paul Gryphius ausgesetzt war, waren politisch-religiöser Art. Er gehörte zu den Anhängern des Königs Friedrich V. Dieser kam, nachdem er in der Schlacht am Weißen Berge eine entscheidende Niederlage erlitten hatte, am ersten Weihnachtsfeiertag, dem 4. Januar 1621 (die Protestanten in Glogau begingen damals ihre Feste nach dem Julianischen Kalender), auf der Flucht nach Glogau. Am nächsten Tag zog er, nachdem seine Begleiter die Kirche ihrer Silbergeräte beraubt hatten, nach Norden weiter.[16] Bei den Glogauer Lutheranern, die die Rache des Kaisers fürchteten, brach nun eine Panik aus, die durch Drohungen von seiten der kaisertreuen Katholiken noch gesteigert wurde. Während der großen Aufregung am Tage der Abreise des Winterkönigs starb Gryphius' Vater plötzlich. Fünf Tage später verschied auch der bejahrte Pastor der Stadt, Magister Quartus.

Über den Tod des Vaters von Andreas Gryphius besitzen wir einen Bericht Leubschers, der seine ausführlichen Angaben dem Tagebuch des Dichters entnahm. Leubscher schreibt, daß Paul Gryphius zu Weihnachten todesahnende Träume gehabt hatte. „In schwarz verkleideter

Kirche, wo der Altar einzustürzen drohte, die Kerzen verlöschten, glaubte er eine Predigt über Psalm 39 (die Hinfälligkeit des Lebens) zu halten. Dazu kam, daß einige ‚Automata‘, die er besaß, nicht mehr in Gang gebracht werden konnten und zwei Uhrwerke in einer Nacht herabfielen und zerbrachen."[17] Außerdem haben die Hausgenossen am Abend ein großes Getöse gehört, das auf den zu erwartenden Tod des Andreas bezogen wurde, der damals krank darniederlag. Doch am zweiten Feiertag starb nicht er, sondern unerwartet sein Vater. Leubscher gibt auch die Inschrift auf dem Grabstein des Archidiakons wieder, wo als Todesursache „catharrhus suffocativus"[18] angegeben wird. Auf deutsch heißt dies Stickfluß oder Lungenödem. Ursache dieser sekundären Erkrankung ist meist eine hochgradige Stauung im Lungenkreislauf bei Herzkrankheiten.

Gryphius' Mutter heiratete ein Jahr nach dem Tode ihres Mannes am 12. April 1622 den Lehrer Michael Eder, der seit kurzem in Glogau unterrichtete. Einige Monate später wüteten 8000 Söldner in der Stadt. Das Glogauer Land mußte große Summen für den Unterhalt der Truppen aufbringen. Auch in den nächsten Jahren litt die Stadt sehr durch Einquartierungen, durchziehende Söldner und die immer steigenden Kriegslasten.

Im Jahre 1628 traf den 11jährigen Andreas ein neuer schwerer Schicksalsschlag. Im März starb im 37. Lebensjahr seine Mutter an der Schwindsucht. Kurz darauf kam es in Glogau zu neuem Streit zwischen Katholiken und Lutheranern. Die Katholiken forderten die sofortige Rückgabe der Stadtpfarrkirche und die Entlassung der evangelischen Prediger. Die Lutheraner widersetzten sich gewaltsam dieser Anordnung. Dem Landeshauptmann Graf von Oppersdorf war es der willkommene Anlaß, die Rekatholisierung in ganz Glogau durchzuführen und somit die politische Position Habsburgs zu stärken. Er rief das 2000 Mann starke Regiment der Lichtensteiner Dragoner aus Böhmen nach Schlesien und in der Nacht vom 29. zum 30. Oktober, als die Torwache ausschließlich von Katholiken gehalten wurde, besetzten die Söldner die Stadt. Durch Mißhandlungen und Drohungen zwang man Tausende von Bürgern zur Annahme des Katholizismus. Die standhaften Protestanten wurden aus der Stadt ausgewiesen. Sie zogen zum größten Teil in das benachbarte Polen. Auch Gryphius' Stiefvater wurde aus der Stadt vertrieben. Die Vertriebenen mußten von ihrem Hab und Gut 10 Prozent Abfahrtsgeld entrichten, außerdem alle Knaben, die das

15., und alle Mädchen, die das 13. Lebensjahr noch nicht vollendet hatten, mit dem Vermögen zurücklassen, das ihnen „jure naturae loco legitimae" gebührte.[19] Auch der 12jährige Gryphius wurde von dieser Maßnahme betroffen. Stosch deutet in der Gryphius-Biographie auf die vorübergehende Trennung des Knaben von seinem Stiefvater hin. „Im 28. Jahr dieses noch schwebenden Seculi, zu Ende des Wintermonats, hat ihn (Andreas Gryphius) Hr. M. Ederus, damahliger Pfarr zu Driebitz ... von Glogau aus zu sich berufen ...".[20] Stosch schrieb diese Sätze im Jahre 1665, also bereits nach dem Sieg der Gegenreformation in Schlesien. Das erklärt, warum er alles, was die Katholiken reizen konnte, verschwieg. So erwähnte er auch das Bekehrungswerk der Lichtensteiner nicht und begnügte sich nur mit Hinweisen, die aber für die Zeitgenossen doch vielsagend waren.

Driebitz war ein kleines polnisches Grenzdorf auf halbem Wege zwischen Glogau und Fraustadt. Hier hat Gryphius „durch Anweisung seines Hn. Pflege-Vaters, und selbsteigenen Fleiß, sich in studien höher zu bringen gesuchet".[21] Dank seiner Ausdauer und Begabung machte Gryphius trotz Mangel an regelrechtem Schulunterricht gute Fortschritte, und nach zweieinhalbjährigem Unterricht im Elternhaus beschloß man, ihn auf ein Gymnasium zu schicken. Im nahen Fraustadt erlebte jedoch die Schule eine ernste Krise; der Rektor war krank, und es fehlte auch an anderen guten Lehrkräften. Die Lehranstalt des in der Nähe gelegenen Lissa, die damals ihre größte Blüte unter dem namhaften polnischen Schriftsteller und Historiker Andreas Wegierski erlebte und in der Amos Comenius unterrichtete, kam ebenfalls nicht in Frage, da sie bis 1638 nur für Schüler böhmischer und reformierter Konfession offiziell zugänglich war. So entschloß sich Andreas Gryphius, das bekannte Gymnasium im entlegenen Görlitz zu beziehen, wo vor Jahren schon Opitz einige Zeit verbracht hatte. Am Gründonnerstag 1631 machte er sich auf den Weg. Zwar erreichte der Görlitz, „aber auch diese Hoffnung ist wegen der Martialischen Unruh zerschmolzen – und hat er ... auch hier keinen Raum in der Herberge funden. Also hat er sich wider seinen Willen wieder zurücke nach Rükkersdorf zu seinem Hn. Bruder begeben müssen; von dannen hernach er sich nach Glogau gewendet."[22]

Es ist heute schwer zu entscheiden, was Gryphius in Glogau zu tun beabsichtigte. Manheimer ist u. a. der Ansicht, daß er sich auf dem dortigen Gymnasium weiterbilden wollte. Wir wissen jedoch, daß das protestantische Gymnasium 1628 aufgelöst worden war; so wäre also eigentlich nur das katholische Kolleg in Frage gekommen, das von Jesuiten geleitet wurde. Vielleicht hat Gryphius damals in Glogau die Stelle eines Präzeptors in einer protestantischen Familie übernommen. Aber auch hier hatte er kein Glück. Am 24. Juni wurde die Stadt durch eine Feuersbrunst bis auf 60 Häuser eingeäschert. Auch das neue Gebäude des Jesuitenkollegs brannte aus. Gryphius erwähnt die Ereignisse in seiner 1637 verfaßten Schrift *Fewrige Freystadt.* „So war", lesen wir dort, „noch weit Schrecklicher, der erbärmliche Fall, so sich auff dem brennenden Raths-Thurmb eräuget, wo bey ich nicht vmbgehen kan, mich zu erjnnern, eines schier gleichen anblicks, welchen ich mit viel andern, im nechsten Groß Glogawischen Vntergange, war am Tage Johannis des Täuffers, im MDCXXXI. Jahr, an einem Zimmermann geschawet, so sich, nebenst seinen geferten, auff das Franciscaner Kloster, in meinung, dasselbe vom eingang zu erhalten, gewagt, denn als numehr auch selbiges Gebäwde in Flammen krachte, vnnd die andern bey zeiten sich herunter gemacht: Er aber der gelegenheit zu entkommen etwas längsamer wahr genommen, hat Ihn vnversehns das Fewr, so schon gantz vnter Jhmb, vmbgeben: Da Er denn mit vnaussprechlichem Klagen vmb Rettung geruffen, Weil aber der Ort einer ziemblichen Höhe, waren alle Mittel Jhme beyzukommen verschnitten, vnnd brandten die Leitern, so angeworffen, entzwey, ehe Er selbiger eine erreichen kondte, Worauff Er sehr erbärmlich winselnde, erstlich mit beiden, hernach mit dem andern Arm sich an einen sparren gehalten, biß dieser auch loß, vnd sambt Jhme hienunter ins Fewer gefallen."[23]

Nachdem die Stadt niedergebrannt war, wütete in ihr von Juli bis Dezember die Pest. Außerhalb der Stadtmauer baute man Pesthütten und an manchen Tagen starben einige Dutzend Menschen. Deshalb verließ Gryphius Glogau und hat wohl bei seinem Bruder Paul „den Sommer über den Plutarchum und die Decades Livii mit großem Fleiße durchgangen, und sich selbst, von aller Anweiserhilfe entblößet, außpoliren müssen". Gryphius' Bruder hat einen großen Einfluß auf Andreas ausgeübt. Er hatte Verständnis für die schriftstellerische Arbeit des Jungen. Im Jahre 1637 veröffentlichten beide Gedichte auf den Tod von Friedrich von Niemtzsch.[24]

Inzwischen wurde Michael Eder als Pastor nach Fraustadt berufen, wo er eineinhalb Jahrzehnte sein Amt ausübte. Auch die Fraustädter

17

Schule erlebte einen Aufschwung. Der ehemalige Konrektor aus Glogau, Jacob Rolle, der schon dort Andreas Gryphius unterrichtet hatte, wurde am 4. Februar 1632 an das Fraustädtische Gymnasium als Direktor und Inspektor der Schule berufen. Die Oberaufsicht über die Anstalt aber gehörte zu den Obliegenheiten von Gryphius' Stiefvater. Nun wandte sich Gryphius in einer Elegie an Eder und daraufhin „ist endlich der Rath dahin gediegen, sich der Fraustädtischen Schule zu bedienen, da er den 3. Brach-Monats von H. M. Jacobo Rollio, Scholae Praeside immatriculiret, und als ein Civis Scholasticus angenommen worden."[25] Am 3. Juni 1632 also bezog Gryphius das Gymnasium in Fraustadt.

Unbedroht vom Kriegsgetümmel konnte der 16jährige Andreas nun im Fraustädter Gymnasium sein Wissen vervollständigen und vertiefen und bald lenkte er durch öffentliche Lobreden und seine ersten Dichtungen die Aufmerksamkeit seiner Lehrer und Mitschüler auf sich. Eine Zeitlang war er Präzeptor der Söhne des Arztes Dr. Caspar Otto, in dessen Familie sich in demselben Jahr eine erschütternde Tragödie abspielte. Die Gattin des Arztes, seine beiden Töchter und drei Söhne starben an der Pest und Caspar Otto selbst wurde gelähmt und verlor das Gehör. Auch im Hause des Stiefvaters von Gryphius hielt der Tod Jahr um Jahr reiche Ernte.

Eder heiratete zum zweiten Mal am 2. September 1629 Maria Rißmann, die 18jährige Tochter des königlichen Hofrichters zu Glogau.[26] Sie gebar innerhalb von sechs Jahren sechs Kinder, doch alle kamen entweder tot zur Welt oder starben bald nach der Geburt. Es scheint, daß in dieser Situation Maria mit Gryphius ein freundschaftliches Verhältnis verband. Die junge Frau zeigte Verständnis für die Dichtung ihres Stiefsohnes. Sie hatte eine gute Erziehung genossen und „zu Hause Sonnabends und Sonntag mit Lesung schöner geistreicher Postillen und Bücher, mit Beten und Singen schöner Lieder, vnd sonderlich der Psalmen zugebracht".[27] Solange die zweite Frau Eders am Leben war, gestalteten sich die Beziehungen des Dichters zu seinem Stiefvater zufriedenstellend. Der Gegensatz zwischen beiden entstand erst später, als Eder 1638, ein Jahr nach dem Tode Maria Rißmanns, zum dritten Male heiratete und, wie es scheint, Gryphius sein Erbe vorenthielt.[28]

Inzwischen arbeitete Gryphius erfolgreich als Schüler des Fraustädter Gymnasiums weiter und sein Biograph Stosch berichtet, daß er hier: „... herrliche Proben seines Fleißes und Wissenschaft sehen lassen; in einer öffentlichen Rede den Untergang Constantinopels vorgestellet, item, des weisesten unter den Königen Lob von der Catheder abgeredet."[29] Er spielte auch dreimal den Aretinus in der *Areteugenia* von Daniel Cramer. Seine Leistung wurde im Wettstreit mit anderen Schülern preisgekrönt. Es wird vermutet, daß er damals die *Tragoediae Sacrae* des Jesuiten Nicolaus Causinus, der Rat und Beichtvater bei Ludwig XIII. war, als Preis empfing. Die Universitätsbibliothek der schlesischen Hauptstadt besitzt nämlich ein Exemplar der Ausgabe mit der eigenhändigen Eintragung des Dichters „Andreae Gryphii musis sacer A 1634". Dieser Band enthält die von Gryphius später übersetzte Märtyrertragödie *Felicitas*. Mir scheint es jedoch unmöglich, daß man damals in einer lutherischen Schule das Buch eines Jesuiten als Preis verliehen hat. Wahrscheinlicher ist, daß Gryphius den Sammelband erst in Danzig erhielt, und zwar von seinem Brotherrn Seton, einem überzeugten Katholiken.

Anfangs der dreißiger Jahre brach in Schlesien, das von zwei Armeen verheert wurde, die Pest aus und versetzte das Land in Schrecken. Allein in Breslau starben damals über 18 000 Menschen, mehr als die Hälfte der Bevölkerung. In dieser verhängnisvollen Zeit schrieb Gryphius seine erste uns bekannte Dichtung, ein lateinisches Herodesepos. Stosch berichtet darüber: „Den Kindermörder Herodem hat er den 21. Septembr. [1633] angefangen, den 10. Weinmonats aber, als die Pest eingerissen, und die öffentliche Schule eingestellet, durch häuslichen Fleiß zu Ende gebracht, auch solchen darauff zu Glogau in Druck befördert".[30] Die Anregung zu diesem Werk erhielt Gryphius in der Schule. Schon in den unteren Klassen lernten die Schüler die Gesetze der Poetik und Rhetorik kennen, und in der Prima gehörte es zu ihren Pflichten, lateinische Gedichte zu verfassen und über aufgegebene Themen Reden auszuarbeiten. Gryphius' Gedicht muß Beifall gefunden haben, so daß er es dann „durch häuslichen Fleiß zu Ende gebracht" hat. Dieses lateinische Jugendwerk, dem ein Jahr später noch ein zweiter Band folgte, ist für seine literarische Entwicklung nicht uninteressant, da die typischen Stilelemente des reifen Dichters schon hier, obwohl im lateinischen Gewand, zum Vorschein kommen.

Am 16. Mai des Jahres 1634 hat der junge Dichter „der Fraustädtischen Schule öffentlich sein danckbares Vale abgeleget, von den Herren Praeceptoribus nochmals privatim, und denn von seinem Herren

Stiff-Vater Abscheid genommen".[31] Gryphius begab sich mit einigen anderen Fraustädter Schülern nach Thorn und von da auf einem Schiff die Weichsel hinunter nach Danzig, um dort im bekannten Akademischen Gymnasium weiter zu studieren. Auf der Weichsel erlebte er ein sturmartiges Unwetter, das sein Schiff in Gefahr brachte.

## Danzig

Am 23. Juni 1634 erreichte der Dichter Danzig, das damals eine der reichsten und bedeutendsten Städte Europas und der wichtigste Umschlagplatz für den polnischen Import und Export war. Es gehörte bereits seit fast zwei Jahrhunderten zum polnischen Reich, besaß zahlreiche Privilegien und wußte seine Sonderstellung, die ihm durch die polnischen Könige immer wieder garantiert wurde, zu wahren. Seine Bevölkerung stellte sowohl in nationaler als auch in religiöser Hinsicht ein buntes Mosaik dar. Die wirtschaftliche und politische Machtentfaltung der Stadt zog eine Blüte der schönen Künste und der Wissenschaften nach sich. Es lehrten hier berühmte Wissenschaftler; bekannte Maler und Kunsthandwerker verliehen im Auftrage der Bürger den repräsentativen Gebäuden der Stadt höchsten künstlerischen Glanz.

Aus der Zeit, da Gryphius nach Danzig kam, besitzen wir die kulturgeschichtlich ungewöhnlich interessanten Tagebücher von Karl Ogier, einem französischen Diplomaten. Die Verhältnisse der Hafenstadt werden darin recht lebendig und mit großer Sachkenntnis und Zuverlässigkeit dargestellt.[32] Schon damals erschienen dort drei verschiedene Zeitungen. Zwei Verlage und neun Buchhandlungen versorgten den Büchermarkt. Der gelehrte Arianer Martin Ruar besaß zahlreiche arabische und hebräische Drucke und Martin Krause eine ausgezeichnete französische Büchersammlung. Reiche Bücherbestände sammelten Arnold von Holten und Johann Ernst Schröer. Die größte Bibliothek aber befand sich im Besitz des Danziger Gymnasiums.

Die wirtschaftliche und kulturelle Blüte Danzigs am Anfang des 17. Jahrhunderts bewirkte, daß viele Schlesier in der Stadt Zuflucht suchten. Niemals in der Geschichte waren die Beziehungen zwischen Schlesien und der Hafenstadt so lebhaft wie zur Zeit des dreißigjährigen Krieges. Die schlesischen Flüchtlinge, die sich nicht in der Umgebung von Fraustadt und Lissa niederließen, zogen weiter nach Thorn und

Danzig, wo sie bei ihren Landsleuten und Glaubensgenossen auf Aufnahme hoffen durften. Für viele wurden diese Städte zur neuen Heimat. Neben Kaufleuten, Wissenschaftlern und Künstlern haben sich auch schlesische Dichter jahrelang in Danzig aufgehalten. Hier wirkten Opitz und Titz, hier studierten Hofmannswaldau und Casper von Lohenstein. Gryphius erlebte in Danzig nach der Begrenztheit der Kleinstadt zum ersten Mal die „große Welt". Die reiche Hafenstadt mußte ihn durch die Mannigfaltigkeit und die Pracht ihres Treibens berauschen. In Danzig, wo Schiffe aus aller Welt einliefen, wo sich die verschiedensten Weltanschauungen kreuzten, verfolgte man mit größter Aufmerksamkeit die neuesten wirtschaftlichen, politischen, wissenschaftlichen und kulturellen Ereignisse.

Aus der Enge des Fraustädter Pastorenhauses kam Gryphius in das Haus des Admirals der polnischen Flotte Alexander von Seton, eines Schotten, wo er die Stelle eines Präzeptors erhielt. Ogier erwähnt den Admiral mehrmals in seinen Tagebüchern. Zu den Freunden Setons gehörten der bekannte französische Diplomat Claude de Mesmes Comte d'Avaux und Franz Gordon, der Vertreter Englands in Danzig.[33] In seinem Hause verkehrten auch zahlreiche polnische Aristokraten, bekannte Schiffskapitäne und reiche Kaufleute. So hatte Gryphius Gelegenheit, das Leben und Treiben interessanter Persönlichkeiten zu beobachten und die Bräuche und Sitten der verschiedensten Völker kennenzulernen. Er fand sich gut in die neuen Verhältnisse und verrichtete seine pädagogischen Pflichten zur allgemeinen Zufriedenheit.

Am 19. Januar 1636, während des Aufenthaltes von Gryphius in Danzig, kam der polnische König Wladyslaw IV. mit zahlreichem Gefolge in die Stadt, um mit den Danzigern über die Zollfrage zu verhandeln. Da die Verhandlungen gerade in der Faschingszeit stattfanden, feierte man prunkvolle Feste, an denen der polnische König, einige polnische Fürsten, zahlreiche Adelige und die diplomatischen Vertreter fremder Staaten teilnahmen.[34] Auch Gryphius war an dem allgemeinen glanzvollen Trubel beteiligt. (Übrigens besuchte damals auch Martin Opitz die Stadt; er war zu einer Unterredung mit dem polnischen König geladen.[35])

Die wichtigsten Anregungen verdankt Gryphius dem Akademischen Gymnasium. Die Lehranstalt war im Gegensatz zu anderen Schulen dieser Zeit nicht so sehr bestrebt, den Schülern durch Auswendiglernen

Wissen beizubringen als vielmehr sie zur selbständigen Arbeit anzuspornen. Die Kollegien hatten polemischen Charakter und im Gymnasium wurden hitzige Disputationen zwischen den Lutheranern, Reformierten, Arianern, Wiedertäufern, Mennoniten und anderen Sekten geführt.[36] Über die Schärfe der Auseinandersetzungen, die oft vom Morgen bis in die Nachtstunden dauerten, berichten noch heute bissige Streitschriften, die in der Danziger Bibliothek erhalten blieben. Der Hauptvertreter der kämpfenden Lutheraner war der Rektor der Schule, Dr. Johann Botsack, bei dem Andreas Gryphius während der ersten Monate seines Danziger Aufenthaltes vorübergehend wohnte. Botsack hielt das theologische Hauptkolleg und ein Disputatorium. Johann Mochinger, Professor der Beredsamkeit, war ein begeisterter Opitzianer und gleichzeitig ein Anhänger der neuen didaktischen Lehre des Amos Comenius. Er übersetzte dessen Werk *Janua linguarum reserata* ins Deutsche.

Gryphius stand aber vor allem unter dem Einfluß des berühmten Mathematikers und Astronomen Peter Crüger, der auf dem Danziger Gymnasium gleichzeitig die Professur der Poesie innehatte. Crüger kannte die Werke von Kopernikus, Galilei und Kepler und verstand es, seine Schüler für deren Ideen zu begeistern. Sein berühmtester Zögling, Johannes Hevelius, zählt zu den hervorragendsten Astronomen des Jahrhunderts. Ogier erwähnt einen Besuch bei Crüger und beschreibt seine astronomischen Instrumente und zwei Himmelsgloben, die nach der kopernikanischen Theorie konstruiert waren. Es scheint, daß auch Gryphius von Crüger die Hochschätzung des Kopernikus übernommen hat, der er in einem seiner frühen Epigramme begeisterten Ausdruck verlieh. Crüger ist der einzige Professor des Gymnasiums, den Gryphius in seinen Gedichten besingt. Die Beziehungen zwischen beiden wurden, auch nachdem Gryphius das Gymnasium verlassen hatte, nicht abgebrochen, und als im Jahre 1638 ein Kind Crügers starb, schrieb der Dichter Trauerverse zu diesem Ereignis.[37]

Die Professoren Crüger und Mochinger machten Gryphius auf die neue deutsche Dichtung aufmerksam. Crüger unterhielt schon seit Jahren freundschaftliche Beziehungen zu Opitz, und Mochinger stand mit dem „Vater der deutschen Dichtung" seit längerer Zeit in regem Briefverkehr. Im Jahre 1634, als Gryphius in der Hafenstadt ankam, brachte der Buchdrucker Andreas Hünefeld dort das *Buch von der deutschen Poeterey* heraus, was das Interesse der Danziger für die neue deutsche Dichtung bezeugt. Etwa in dieser Zeit erschienen in demselben Verlag die Tetrastichen des Pibrac in Opitzens deutscher Übersetzung, 1636 veröffentlichte Hünefeld das Lobgedicht auf Wladyslaw IV. und einige Monate später Opitzens *Antigone*.[38] Spätestens in Danzig also hat Gryphius das Werk des damals viel gepriesenen Dichters kennengelernt. Es wird oft behauptet, daß Gryphius gegen Opitz eine starke Abneigung hegte. Gegen diese Ansicht spricht aber sowohl die Tatsache, daß Gryphius bestrebt war, Opitzens Hinweise möglichst genau zu befolgen, als auch der bisher unbekannte Umstand, daß er in seinen Schriften mehrmals Verse des Bunzlauers zitiert.[39]

Zu den Danziger Gönnern von Andreas Gryphius gehörte der einflußreiche Stadtsekretär Michael Borck, der in über 15 000 deutschen Alexandrinern die Lebensgeschichte Christi niederschrieb. Der handschriftliche, mit Illustrationen versehene Band befindet sich heute in der Bibliothek der Hafenstadt Danzig. Gryphius feiert Borck in einem seiner deutschen Jugendsonette. Wir erfahren aus dem Gedicht, daß seine Dichtungen in den Augen des Stadtsekretärs Anerkennung gefunden haben.

Seit Manheimer herrscht die Ansicht, daß Gryphius während seiner Danziger Zeit unter dem starken Einfluß von Plavius (Plauen), einem fruchtbaren Danziger Gelegenheitsdichter, stand.[40] Ein wissenschaftlicher Nachweis wurde bis jetzt nicht durchgeführt. Plavius soll auf den Glogauer vor allem durch den häufigen Gebrauch der Anapher und durch die Klangmalerei eingewirkt haben. Dagegen spricht der Umstand, daß sich Gryphius dieser Stilmittel schon in seinem ersten Herodesepos bediente, das noch vor seinem Danziger Aufenthalt veröffentlicht wurde. Gleichzeitig sei darauf hingewiesen, daß sich auch der junge Opitz gern der Anapher bedient und deren Verwendung erst später einschränkt.[41]

In der anregenden Atmosphäre der Hafenstadt machte Gryphius den entscheidenden Schritt von der lateinischen zur deutschen Dichtung. Er schrieb schon hier eine Reihe von Sonetten, die ein Jahr später in seinem ersten Gedichtbändchen veröffentlicht wurden. Gleichzeitig aber pflegte er weiterhin die lateinische Dichtung. Im Jahre 1635 gab er sein zweites Herodesepos *Dei Vindicis Impetus et Herodis Interitus* in Danzig heraus. In der Widmung wendet sich der Dichter an die Danziger Ratsherren. Der Text, den wir in der deutschen Prosa-Übersetzung zitieren, zeugt sowohl von Gryphius' rhetorischer Gewandtheit als auch von seinem bewegten Gemütszustand:

Berühmte Stützen der morschen Welt, gerechteste Herzen, helle Sterne des Erdenrunds! Sehet meine geringe Gabe gnädig an mit freundlichem Blick, der Licht in meine Finsternis bringe. Jetzt ist mein Schifflein, das die hohe See umherwarf, hier gelandet, aber fern liegen der bergende Hafen und nährende Gefilde. Mein Fahrzeug seufzt in allen Fugen, vom sturmgepeitschten Meere zerstoßen, und vor Nässe trieft mein Haar. Nacht bedeckt den Himmel, wütende Nordwinde reißen die Segel vom Mast. Verfinstert sind die Strahlen von Kastors leuchtendem Stern, pfadlos ist des durchwühlten Meeres wüster Schwall. Und was noch schlimmer ist, ich kann ängstlichen Herzens die Küsten, an die mich Äolus tragen soll, nicht sehen. Was nützt es, so oft aus dem Lärm des Krieges und seinen Mordgeschossen, den Städten mit halb verfallenen Häusern, den blutgetränkten Feldern entkommen zu sein, wenn mir das Geschick noch keine Rettung und Hoffnung auf wiederkehrende Ruhe gewährt? Und doch schimmert eine Hoffnung, eine Hoffnung reich genug: Wird mir dem Müdem nur vergönnt, eure rettende Hand zu ergreifen, euer Antlitz zu sehen, dann braucht mir das Dioskurengestirn nicht zu scheinen, euer Licht mag mir in solcher Nacht mein Pharos sein![42]

Ebenfalls in Danzig erschien von Gryphius der *Parnassus Renovatus*, ein lateinisches Lobgedicht auf seinen späteren Gönner Georg Schönborner. Vielleicht war dieses Gedicht der eigentliche Anlaß, daß Schönborner Gryphius zum Erzieher seiner Söhne machte. Am 16. Juli „des 36. Jahres, ward er von Hn. Edero nach Hause beruffen, da er den 21. von Herren Botsacco, Crügero, Riccio und andern vornehmen Leuten günstigen Abscheid genommen, und den 30. in Fraustad vom Herren Edero damahligen Pastore Loci freundlich empfangen worden: bey deme er auch verharret: biß den 18. Augustmonats."[43] Diese Angabe aus Stosch wird von Leubscher ergänzt. Von ihm erfahren wir, daß Gryphius am 21. Juli den Entschluß gefaßt hat, die Hafenstadt zu verlassen. Dieselbe Quelle berichtet auch von einem Unglücksfall auf seiner Heimreise. Am 22. Juli fiel Gryphius aus dem Reisewagen und zog sich ernste Verletzungen zu.

Von Fraustadt begab sich Gryphius am 18. August 1636 nach Schönborn, wohin ihn sein neuer Brotherr „zu seinen Kindern als einen Ephorum erfordert; wo ihme wenig respiration bey stets vergliederter Arbeit gelassen, welche doch nach seinem eigenen Bekäntniß des weltberühmten und hochgelehrten Mannes Conversation und ungemeine Liberey; wie auch der Gottesfürchtigen Frauen Freundligkeit und Milde ihme sonderlich erleichtert und verzuckert."[44]

Georg Schönborner (1579–1637) war ein hochgelehrter Mann und Verfasser eines von den Zeitgenossen sehr geschätzten Buches über Staatswissenschaft *Politicorum libri VII*, das mehrmals aufgelegt wurde. Ende der zwanziger Jahre des 17. Jahrhunderts wurde er Fiskal von Niederschlesien, später auch von der Niederlausitz und einer der engsten Mitarbeiter des Präsidenten der Schlesischen Kammer, des Burggrafen Carl Hannibal von Dohna, eines berüchtigten Protestantenverfolgers. Schönborner, selbst Lutheraner, wurde 1629 durch den kaiserlichen Beichtvater Wilhelm Lamormain zum Katholizismus bekehrt. Als „Finanzmann" Dohnas, der auch als rücksichtsloser Steuereintreiber verhaßt war, kann sich Schönborner bei den Schlesiern keines guten Rufes erfreut haben. Da er sich als Werkzeug der Unterdrückung und Ausbeutung seiner Landsleute und Glaubensgenossen mißbrauchen ließ, erlebte er einen glänzenden Aufstieg, wurde in den Ritterstand erhoben und 1633 zusammen mit seinem ältesten Sohn in die Reihen der kaiserlichen Hofpfalzgrafen aufgenommen. Kurz danach, mit der Änderung der politischen Lage in Schlesien, als die Protestanten die Oberhand gewannen, trat Schönborner wieder zum evangelischen Glauben über. Er litt schon damals an der hypochondrischen Melancholie, einer Geisteskrankheit.[45] Im Jahre 1635, als die Katholiken in Schlesien wieder an die Macht kamen, wurde er aus dem Staatsdienst entlassen und schied in Unfrieden aus seinem Amt.

Als Gryphius ein Jahr später nach Schönborn kam, fand er einen physisch und psychisch kranken Mann vor, der zwar über ein großes Wissen verfügte, gleichzeitig aber an krankhaften Trugbildern litt. Gryphius lernte Schönborner wahrscheinlich noch als Schüler des Danziger Gymnasiums während der Ferien kennen, die er in Freystadt bei seinem Bruder Paul verbrachte, der Seelsorger und Freund des Kammerfiskals war. Daraufhin warb der Dichter mit dem *Parnassus Reno-*

*vatus* um die Gunst des Hofpfalzgrafen. Im Hause seines Gönners fühlte Gryphius sich wohl und gewann bald die Liebe und Zuneigung seiner beiden Zöglinge Georg Friedrich und Johann Christoph. Eine starke Anziehungskraft übte Schönborners große und wertvolle Bibliothek auf ihn aus. In einem seiner Sonette schreibt er darüber:

> ... Hier leß Ich / was vorlängst Gott seinem Volck geschworen /
> Hier sind Gesetz vnd Recht, hier wird die grosse Welt
> In Büchern / vnd was mehr in Bildern vorgestellt;
> Hier ist die zeit / die sich von Anfang her verlohren /
> Vnd was in der gethan; Hier lern ich / was ein Geist /
> Hier seh ich was ein Leib / vnnd spür was Tugend heist /
> Schaw aller Städte weiß / vnd wie man die regieret / ...[46]

Gryphius vernachlässigte in Schönborn die Arbeit an seinen deutschen Dichtungen nicht und Anfang des Jahres 1637, etwa ein halbes Jahr nach Annahme der Erzieherstelle, gab er bei Wigand Funck in Lissa seine erste deutsche Sonettsammlung heraus. Unter diesen ersten Gedichten finden wir bereits mehrere seiner berühmtesten Sonette.

Einige Monate später, in der Nacht vom 8. zum 9. Juli 1637, war Gryphius Zeuge des großen Brandes von Freystadt. Es gelang nicht, das Feuer zu lokalisieren und binnen einiger Stunden brannte die Stadt bis auf wenige Häuser nieder. Auch sein Bruder Paul und dessen Frau, die im Kindbett lag, wurden von dem Unglück betroffen. Es war Sitte der Zeit, solche Ereignisse literarisch zu würdigen. So schrieb Gryphius einen Bericht über die Feuersbrunst, die Freystadt verheerte. Er war sich bewußt, daß die Veröffentlichung dieser Schrift in einer Zeit der politischen und konfessionellen Gegensätze ein Wagnis war.

„Welche Bedencken Ich getragen, auch wie hefftig Ich mich gewidert, solches geschehen zu lassen, wird denen am besten wissend seyn, die mir dieses mehr mit Zwang als mit Bitten abringen müssen; weil mir wohl kunt, wie manch überkluges spitzfündiges und hönisches Urtheil darauf gefallen wird, daß ich als ein Frembder, dies auf mich genommen."

Am Ende des Vorwortes kommt Gryphius noch einmal auf die Frage der Anfeindungen zurück und droht seinen zukünftigen Gegnern.

26

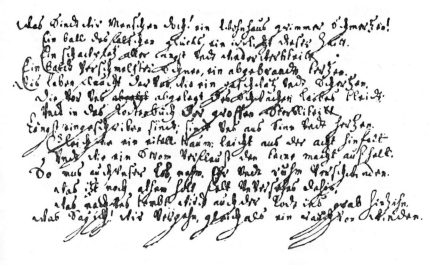

*Handschriftliche Eintragung in ein Album für Konstantin Linderhausen,
als Nr. IX in die Lissaer Sonette aufgenommen*

„Dorffte sich aber jrgendt ein leichtfertiges und unverschämtes Maul
unterstehn, auch hirran seinen Geyfer anzuschmieren, so dörffte mir
hergegen auch nicht schwer sein, auf solch begrüßen eben gleich zu
danken. Wie wohl sonsten meine Meynung, man könne rasenden
Hunden nicht besser begegnen, als wenn man sie keines Widerbellens
würdig achtet."[47]

Dieser scharfe Ton und die Ausdrucksweise waren durchaus zeitgemäß
und gehörten zum Zeitstil.

Beim Entwerfen der Schrift *Fewrige Freystadt* stützte sich Gryphius
auf Berichte glaubwürdiger Leute, die das ergänzten, was er selbst
gesehen. Die Schrift hat Gryphius und seinem Brotherrn heftigste
Anfeindungen zugezogen. Die Ursache ist wohl nicht nur in der Herausgabe des Büchleins zu suchen, sondern in der Rolle, die Schönborners Gut als Zufluchtsort für Protestanten spielte. Durch den Prager
Frieden (1635) wurde die Herrschaft der Habsburger in Schlesien
wiederhergestellt, und der Kaiser benutzte die Gelegenheit, um gegen

die Protestanten vorzugehen. Eine neue Gegenreformationskommission begann ihr Werk. Die protestantischen Kirchen wurden geschlossen, und als nach dem Tode des alten Kaisers im Jahre 1637 Ferdinand III. die Regierung übernahm, befahl er, auch die evangelischen Prediger zu vertreiben. In dieser protestantenfeindlichen Atmosphäre mußte Schönborner auf das Schlimmste gefaßt sein, und im Spiegel seiner kranken Seele nahmen die Verfolgungen unermeßliche Dimensionen an.

Am 30. November 1637 wurde auf das Geheiß von Schönborner eine Feier veranstaltet, bei der er den Glogauer zum Dichter krönte. Seine Tochter Elisabeth schmückte Gryphius mit einem selbstgewundenen Lorbeerkranz. Gleichzeitig ernannte ihn Schönborner (er fühlte sich dazu als kaiserlicher Hofpfalzgraf befugt) zum Magister und verlieh ihm den Adelstitel.[48] Gryphius bediente sich des nicht ganz rechtmäßigen Adelstitels niemals.

Der Gesundheitszustand Schönborners verschlechterte sich, und sein unruhig arbeitendes Gedächtnis und das in tollen Gedankensprüngen vorgebrachte Wissen versetzten Gryphius oft in Verblüffung. Es scheint, daß der Dichter die pathologischen Symptome der hypochondrischen Melancholie nicht immer als solche erkannte.

In den letzten Lebensmonaten offenbarte Schönborner Gryphius oft seine dunklen Ahnungen und Ängste, ja, er soll ihm, nach dem Bericht des Dichters, auch verschiedene Geheimnisse der Zukunft, u. a. das genaue Datum seines Todes, vorausgesagt haben. Gryphius wich in der letzten Woche nicht mehr vom Bett seines Gönners und bereitete ihn auf den Tod vor. Schönborner starb am 23. Dezember 1637. Bei der Leichenfeier am 29. Dezember hielt Gryphius zu seinen Ehren eine ergreifende Trauerpredigt, die später als *Brunnen Discurs* veröffentlicht wurde.[49] Diese Schrift ist eine wichtige Informationsquelle über die Verhältnisse, in denen der Dichter lebte, und gleichzeitig ein interessantes Dokument seiner frühen Prosa.

*Leyden*

Im Sommer 1638 ging der nun zweiundzwanzigjährige Gryphius, der das volle Vertrauen der Gattin Schönborners genoß, mit deren Söhnen und einigen anderen wohlhabenden jungen Schlesiern nach Holland, um dort die Universität zu beziehen. Die finanziellen Mittel verdankte er wohl der Witwe Schönborners und auch einem neuen Gönner, dem kaiserlichen Rat Christoph von Dihr zu Streidelsdorf. Am 4. Mai 1638 nahm Gryphius in dem Sonett *Vor meiner Abreise in Niderland* von ihm Abschied. Kurz danach verließen die jungen Leute Schlesien. Am 5. Juni kamen sie nach Danzig, wo Gryphius „seine *Fontanalia* dem Drucker vertraut" hat. Dies war der *Brunnen Discurs*. Am 26. ging die Reisegesellschaft an Bord des Schiffes, das sie nach Holland bringen sollte. An der Küste von Rügen mußte es wegen eines gewaltigen Seesturms vor Anker gehen. Das gefahrvolle Abenteuer besingt der Dichter in dem Sonett *Andencken eines auf der See ausgestandenen gefährlichen Sturms*.[50] Nach mehrwöchiger Seereise ist die Reisegesellschaft „den 18. Heumonats (Juli) bey Amsterdam außgestiegen, da Er, als in einer Stad, die mehr dem Pluto als den Musen gewidmet, nicht lange gerastet, sondern den 22. zu Leiden außgetreten".[51]

Holland erlebte damals einen sprunghaften wirtschaftlichen und kulturellen Aufschwung. Es erweiterte seinen Kolonialbesitz, baute seine Flotte aus und war im Begriff, erste Handelsmacht der Welt zu werden. Gleichzeitig befand sich hier der Sitz der fortschrittlichsten Wissenschaft. Seine Gelehrten machten sich um die verschiedensten Wissenszweige verdient und ihre Werke, die in den berühmten holländischen Verlagen erschienen, waren in der ganzen damaligen Welt begehrt. Der Staat hatte aber auch ernste Sorgen. Er führte im Bündnis mit Frankreich einen langjährigen Krieg gegen Spanien.

Gryphius ließ sich zusammen mit seinen Reisegenossen am 26. Juli an der Leydener Universität immatrikulieren, wo damals „Constantinus L'Empereur, ein Frantzösischer vom Adel" Rektor war.[52] Der Dichter fühlte sich hier besonders von dem sehr reich ausgestatteten „theatrum anatomicum"[53] der Universität angezogen. Es begeisterte ihn für das Studium der Anatomie, so „daß er selbst hernach etliche Sectiones vorgenommen. Und wen solte nicht erlustigen", schreibt Stosch weiter, „in des Menschen Leibe einen Außzug und Modell der großen Welt zu sehen? Dergleichen Sceletta in dieser Anatomi-Kammern unzählig viel sollen gefunden werden".[54] Sie enthielt außerdem Mumien aus Ägypten, einen Elephantenkopf, einen Tigerkopf, Krokodilenblut „so in die Augen gethan dieselbe klar macht", ein Tier, das in Mexiko unter der Erde lebt, und Schlangeneier. Desgleichen konnten zahlreiche „Raritäten" die Phantasie eines Dichters anregen. Es gab hier einen

Dolch aus Äthiopien mit einem geschnitzten Teufelskopf, einen Säbel aus dem Reich des „großen Mogul" und Pantoffeln aus Siam.

Gryphius hörte ferner Vorlesungen der verschiedensten Professoren, studierte Jura, nahm an Disputationen teil und hielt in den Jahren 1639–1643 eine Reihe von Kollegs, wozu er als Magister befugt war. Es ist sehr interessant, die Themen dieser Vorlesungen zu verfolgen: „Zu erst hat er gehalten ein Collegium Metaphysicum, Geographicum et Trigonometricum, Logicum, Physiognomicum et Tragicum: Ferner hat er Philosophiam Peripateticam und Neotericam in einem Collegio gegen einander gehalten, darauff ein Astronomicum, zu welcher Zeit er auch öffentlich eine Rede gehalten de Rerum omnium Vanitate. Das 42. Jahr hat er Antiquitates Romanas erkläret, Partem Sphaericam Astronomiae vollendet. Es sind von ihm gehöret worden erklären Philosophica Naturalia transplantatoria, darauff hat er ein Historisches, und denn ein Poetisches Collegium angeschlagen ... Dieses Jahr [1643] hat er auch ein Collegium Chiromanticum angeschlagen, item, Philosophiam naturalem cum Parte Theorica et Mathematica anfangen zu erklären. Darauff ein Collegium Anatomicum Practicum eröffnet; ..."[55] Die Kollegs von Gryphius erfreuten sich eines großen Zulaufs.

Während dieser Zeit trat er zu einigen bekannten Persönlichkeiten in nahe Beziehungen. Zu ihnen gehörten der berühmte Dichter Daniel Heinsius, Professor für Politik und Geschichte, Otto Heurnius, Professor der Medizin, der Orientalist Jacobus Golius und Marcus Zuerius Boxhornius, Professor der Eloquenz und Geschichte. Vor allem aber fühlte sich Gryphius von Claude de Saumaise (Salmasius), einem berühmten Philologen und Juristen der Leydener Universität, angezogen. Leubscher zitiert eine „wohlwollende" Eintragung des schwer zugänglichen Professors in das Stammbuch des Schlesiers vom 19. April 1640.[56] Noch nach Jahren, als Gryphius auf seiner Rückreise durch Holland kam, hat er ihn aufgesucht und sich bei ihm für seinen Freund, den Straßburger Professor Böckler, mit Erfolg eingesetzt. Wir erfahren davon aus dem Brief des Dichters, den er im Juli 1647 aus Amsterdam an Böckler schrieb. Gleichzeitig äußert er sich ziemlich abfällig über Heinsius, den noch die Generation von Opitz so verehrte.

In Leyden studierten damals viele Schlesier. Zu Gryphius Freundeskreis gehörte sein Landsmann Joachim Pastorius von Hirtenberg, ein unruhig suchender Mensch. Er wechselte mehrmals sein Glaubensbekenntnis, war zuerst Arzt, später Geschichtslehrer in Elbing und

Danzig. Für seine Verdienste um die Erforschung der polnischen Geschichte erhielt er den Titel eines Hofhistoriographen des polnischen Königs. Im Herbst 1638 kam Christian Hofmann von Hofmannswaldau nach Leyden. Zu jener Zeit begann die Freundschaft zwischen ihm und dem so andersgearteten Glogauer. Wir erfahren davon aus der Widmung zu Bakers *Betrachtungen*, in der sich Gryphius an Hofmannswaldaus Frau wendet: „Die stets mehr und mehr blühende Freundschafft, mit welcher vor vilen Jahren, noch ausser Landes Jhrem hochwehrtesten Eheherren mich zuverpflichten beliebet...“[57] In Holland verkehrte Gryphius auch mit dem um drei Jahre jüngeren Wolfgang von Popschitz, Herrn auf Krantz, der dann mit Gryphius nach Frankreich reiste. Gryphius spricht darüber in der Straßburger Widmung des zweiten Buches der Sonette: „Herr Popschitz, den mein Hertz von jugend auff gelibt, dem Niederland mich fest; vnd Franckreich mehr verbunden.“[58]

Bei Elzevir in Leyden gab Gryphius 1639 eine Sammlung von 100 Sonn- und Feiertagssonetten heraus, vier Jahre später veröffentlichte er ein Buch lateinische und ein Buch deutsche Epigrammata sowie je ein Buch Sonette und Oden.

## *Reise nach Frankreich und Italien, Aufenthalt in Straßburg*

Im Jahre 1644 erklärte Gryphius sich auf Vermittlung des Mediziners und Mathematikers Origanus jun. bereit, den Stettiner Kaufmannssohn Wilhelm Schlegel auf einer Reise nach Frankreich und Italien zu begleiten. Es bildete sich eine kleine Reisegesellschaft, zu der auch Wolfgang von Popschitz gehörte, und Anfang Juni 1644 verließ sie Leyden. Unterwegs besichtigte man viele herrliche Orte und am 3. Juli kam man nach Paris, in das „Paradis aller Ergetzligkeit". Gryphius interessierte sich hier nicht so sehr für die berühmten Baudenkmäler, die herrlichen Schloßgärten und andere Sehenswürdigkeiten als vor allem für die prächtige Bibliothek des Kardinals Richelieu, die in den Mittagsstunden geöffnet war „wie er solches in seinem Diario selbst berühret".[59]

Weiter haben sowohl Stosch als auch Leubscher die Tagebuchnotizen von Gryphius in einem sehr geringen Maße verwertet, und wir wissen nur, daß die Reisegesellschaft sich später von Paris nach Angers gewandt hat. Dort sah Gryphius bei ihrem Einzug in die Stadt am

14. August 1644 die Königin von England, Maria Henrietta, die Gemahlin des später hingerichteten Karls I., die sich auf einem holländischen Schiff nach Frankreich gerettet hatte. Es scheint, daß man sich aus uns unbekannten Gründen in Angers länger aufgehalten hat, denn erst am 2. November 1645 verließ man die alte Universitätsstadt und reiste nach Süden weiter, nach Marseille,um sich von dort auf dem Seewege nach Florenz zu begeben. In Florenz besichtigte Gryphius am 19. Dezember die Kunstkammer des Großherzogs, die ihn stark beeindruckte. Anfang 1646 erreichte die Reisegesellschaft Rom. Hier machte Gryphius die Bekanntschaft des deutschen Jesuiten Athanasius Kircherus, eines geschätzten Gelehrten, und des berühmten Alchimisten und Scharlatans, Ritter Borrhi. Bei diesem „Weltberuffenen Ritter Borrhi, der mit seinem Lapide philosophico sonsten schon viele unheilbare Kranckheiten curirt", suchte er Jahre später vergeblich Hilfe für seine kranke Tochter. Gryphius sah den Papst, besichtigte die Katakomben und die vielen Sehenswürdigkeiten Roms. In einem herrlichen Abschiedssonett singt er das Lob der ewigen Stadt,

... der nichts gleich gewesen /
Vnd nichts zu gleichen ist / In der man alles siht
Was zwischen Ost vnd West / vnd Nord vnd Suden blüht,
Was die Natur erdacht / was je ein Mensch gelesen.[60]

Am 1. März fuhr die Reisegesellschaft nach Tusculum (Frascati), wo sie die Gärten der Aldobrandini bewunderte und den Palast besichtigte. Am 15. April reiste sie über Florenz nach Bologna, danach über Ferrara, Francolino nach Pulicella, einem kleinen Ort am Po. Von dort ging es bei stürmischem Wetter mit dem Schiff nach Venedig. Hier durften die Reisenden am 22. April den Schatz des heiligen Marcus besichtigen. Venedig war damals für viele Zeitgenossen ein Symbol des Widerstandes gegen die Türken und des Kampfes für das Christentum. Außerdem nahm es als Muster einer liberalen Staatsordnung eine besondere Stellung ein. Gryphius widmete der Stadt sein *Olivetum*, ein lateinisches Epos über das Leiden des Heilands, das 1646 in Florenz gedruckt wurde. Die Widmung ist am 13. Februar 1646 noch in Rom unterzeichnet. Er hat das Werk dem Senat wohl persönlich überreicht, wahrscheinlich auf Grund eines Empfehlungsschreibens eines seiner einflußreichen Bekannten.[61]

Über einen der Alpenpässe ging nun die Reisegesellschaft nach Straßburg, wo sie sich auflöste. Gryphius aber nahm bei Professor Gregor Biccius, einem Rechtsgelehrten, seine Wohnung. Er pflegte hier Umgang mit den bekannten Professoren der Theologie Johannes Dorschius und Johannes Schmid, dem Professor der Eloquenz Johann Konrad Dannhauer, dem Geschichtsforscher Johann Heinrich Boecler und dem Juristen Johann Rebhan. Hier hat auch Gryphius sein erstes Trauerspiel, den *Leo Armenius*, zum Abschluß gebracht. Die Widmung trägt das Datum 31. Oktober 1646. Die Tragödie übergab er zusammen mit den ersten zwei Büchern seiner Oden und vier Büchern seiner Sonette dem Drucker Caspar Dietzel zur Veröffentlichung. Der Sammelband erschien aber erst 1650 in Frankfurt am Main bei Johann Hütter, da Dietzel, der das Werk bis Seite 232 fertiggestellt hatte, „durch allerhand Widerwärtigkeiten und Prozesse" verhindert wurde, den Druck zum Abschluß zu bringen.[62]

*Rückkehr nach Schlesien*

Am 25. Mai 1647 verließ Gryphius Straßburg und fuhr den Rhein abwärts nach Speyer. Hier verbrachte er mehrere Tage, um das Reichskammergericht genauer kennenzulernen, reiste dann nach Mainz, anschließend den Main aufwärts nach Frankfurt und später auch noch nach Köln. Von dort begab er sich über Amsterdam in die Heimat und am 25. Juli kam er nach Stettin zu Herrn Schlegel, wo er sich einige Zeit aufhielt und die Muße zur Fertigstellung der schon in Straßburg begonnenen Tragödie *Catharina von Georgien* benutzte.[63] Am 8. November verabschiedete er sich von seinem Freund und Gönner Schlegel und reiste nach Südosten. Nach neunjährigem Aufenthalt in der Fremde erreichte er am 20. November 1647 glücklich Fraustadt in Polen, wo sein Stiefvater Eder lebte. In Deutschland tobte noch immer der dreißigjährige Krieg und in Schlesien standen die Truppen der Schweden.

So verblieb der Dichter, der reich an Erfahrung und Wissen vom Ausland zurückkehrte, in dieser polnischen Stadt, um die Entwicklung der Friedensverhandlungen abzuwarten. Sein Ruhm und seine vielseitigen Beziehungen brachten ihm einen Ruf an die Heidelberger Universität, die Brandenburger boten ihm eine Professur der Mathematik in Frankfurt a. d. Oder an, und der schwedische Gesandte in Holland, Peter Trotzius, versprach ihm in etlichen Briefen eine Professur in

Uppsala. Gryphius hat aber „umb gewissen Ursachen" alle Berufungen abgelehnt.[64] Bei den deutschen Universitäten war der Hauptgrund dafür vielleicht der Umstand, daß beide unter kalvinistischem Einfluß standen.

Am 27. November 1648 hat sich Gryphius, da „es nicht gut ist, daß der Mensch alleine sey", mit Rosina Deutschländer, der Tochter eines vornehmen Rates und Kaufmanns aus Fraustadt, verlobt und sie am 12. Januar 1649 geheiratet. Im nächsten Jahr wurde Gryphius das verantwortungsvolle Amt des Landessyndikus von Glogau, also des Rechtsberaters der Landstände, anvertraut, das er bis an sein Lebensende innehatte.[65] Die Ehe von Gryphius war nicht glücklich. Es wurden ihm 7 Kinder geboren. Konstantinus, Theodor, Maria und Elisabeth starben sehr früh. Daniel ist während einer Bildungsreise in Neapel 1687 im 24. Lebensjahr gestorben. Die einzige überlebende Tochter Anna Rosina hörte in ihrem fünften Jahre aus unbekannten Gründen plötzlich auf zu wachsen, verlor das Gehör und das Gedächtnis. Sie starb im 44. Lebensjahr im Hospital zu den Elftausend Jungfrauen in Breslau. Der einzige Nachkomme von Gryphius, der das Mannesalter erreichte, war also der älteste Sohn Christian, der sich später eines gewissen Rufes als Gelehrter und Dichter erfreute.

Als Landessyndikus bewies Gryphius viel Klugheit bei der Verteidigung der Sache der Protestanten und der Sonderrechte des Landes. Im Jahre 1653 gab er eine Sammlung der Privilegien des Landes Glogau im Druck heraus, um sie auf diese Weise gegenüber den absolutistischen Tendenzen Habsburgs zu sichern. Das wichtige Urkundenbuch ließ er in Polen drucken, um so jeder Einmischung der Zensur aus dem Wege zu gehen. Die Glogauer Landesprivilegien wurden anschließend dem Kaiser übersandt, und als dieser sich dafür bedankte, fügte Gryphius das kaiserliche Bestätigungsschreiben dem Band bei und verschickte zahlreiche Exemplare des Buches an verschiedene Reichs- und Landesbehörden.[66]

Gryphius reiste oft nach Breslau. Die Situation der Stadt war bedeutend besser als die des Glogauer Landes. Die Lutheraner genossen hier weitgehend Glaubensfreiheit, und Gryphius bat den Rat der Stadt wiederholt um Hilfe und Unterstützung. Seinen *Papinian* widmete er „Praesidii ac senatoribus" von Breslau und erwähnt dort namentlich Arzat, Burckhardt von Löwenburg und Christian Hofmann von Hofmannswaldau. Im Jahre 1658 unternahm er in Breslau eine anatomische Sektion zweier ägyptischer Mumien, die das Eigentum des Apothekers Krause waren. Die Ergebnisse dieser Arbeit beschrieb er in der Schrift *Mumiae Wratislavienses*.[67] Mumien wurden damals in den Apotheken zu Pulver verrieben, aus dem man teuere Arzeneimittel herstellte. Sie waren deshalb ein begehrtes Handelsobjekt. Gryphius bezweifelt in seiner Schrift die heilende Kraft des Mumienpulvers.

Zu den herzlichsten Freunden des Landessyndikus zählte sein „Schwager", der Dichter Daniel Czepko. Einige jüngere schlesische Dichtertalente blickten voller Bewunderung auf Gryphius. Zu ihnen gehörte Daniel Casper von Lohenstein, Heinrich Mühlpfort und Quirinus Kuhlmann.[68]

Im Jahre 1662 wurde Gryphius durch das neue Oberhaupt der um die deutsche Sprache und Dichtung verdienten Fruchtbringenden Gesellschaft, den Herzog Wilhelm von Sachsen, auf Antrag von Johann Wilhelm von Stubenberg in diese aufgenommen und erhielt den ehrenden Beinamen der „Unsterbliche".[69] Ein Teil seiner Dichtungen erschien gesammelt 1657 und umgearbeitet und ergänzt 1663.[70] Sie enthalten einige Tragödien und Lustspiele, die *Kirchhofsgedanken* und je vier Bücher seiner Oden und Sonette. Zahlreiche andere Werke, die an anderer Stelle besprochen werden, erschienen im Laufe der Jahre in Einzelausgaben.[71]

Nach einer 14jährigen arbeits- und erfolgreichen Amtszeit ist Gryphius am 16. Juli 1664 während einer Sitzung der Landstände im Fürstentum Glogau einem Schlaganfall erlegen. Er hat im „Angesichte der Herren Außschusses und Landes Eltisten, mit diesen Worten: ,Mein Jesus, wie wird mir' die Schuld der Natur bezahlet, als er sein Alter gebracht auff 48. Jahr, weniger 11. Wochen, und 1 Tag."[72]

Als Christian Gryphius 1698 die Werke seines Vaters neu herausgab, vermehrte er sie um den bis dahin nicht gedruckten *Piastus* und die *Gibeoniter*, eine Übersetzung der Tragödie *De Gebroeders* von Vondel, ferner um geistliche und weltliche Gedichte und ein bis dahin nicht gedrucktes Sonettbuch. In dem reichhaltigen Nachlaß des Dichters, der leider verschollen ist, befand sich noch, wie Christian Gryphius und Kuhlmann berichten, eine Tragödie über den im Jahre 1241 im Kampf gegen die Tataren gefallenen schlesischen Herzog Heinrich II. Das Drama ist wohl mit der Tragödie von der Heiligen Hedwig identisch, die Leubscher erwähnt.[73] Die Herzogin war die Mutter von Heinrich II.

35

und überlebte ihn um zwei Jahre. Dem Werk fehlten nur noch die Chöre und die Anmerkungen. Der Nachlaß enthielt ferner eine bis auf den fünften Akt fertiggestellte Tragödie über den Untergang der Familie Sauls, in der Gryphius den Gibeoniterstoff für eine selbständige Dichtung benutzte. Nach den Worten Christians arbeitete sein Vater auch an einem Drama *Ibrahim*. Auch die *Fischer* hätte der Sohn des Dichters veröffentlicht, „wenn nicht ein ganz verwirrtes Concept, und die in dem unglücklichen Glogauischen Brande verzehrte Abschrifften" seinen Vorsatz zunichte gemacht hätten. Wie schwierig es war, Manuskripte von Gryphius zu lesen, geht aus einer Äußerung von Stieff hervor: „Was er gedichtet, schrieb er ohne abgesetzte Verszeilen in einer Reihe nacheinander fort, daß also hierzu ein vernünftiger Abschreiber erforderlich. Die Ursache war seine Zeitkürze, die ihn zwang, im ersten Gemütsfeuer seine Gedancken hinzusetzen, ohne sichere Hoffnung, sie bey müßigeren Stunden weiter durchzulesen und auszubessern."[74]

Auch eine neue Edition von Gryphius lateinischen Epigrammen und Gedichten kam nicht zustande. Leubscher erwähnt noch drei andere lateinische Arbeiten des Dichters: *Exercitationes Theologico-Philologicae de Cruciatibus et Morte Salvatoris; Schediasma de Judiciis Publicis sive Poenis veterum; Annotata in Rosini et Dempsteri Antiquitates Romanas.*

Der Nachlaß enthielt außerdem Briefe und ein Tagebuch, das wohl mit der lateinisch geschriebenen Lebensbeschreibung gleichzusetzen ist, die Stieff erwähnt: „Etwas von seinen curieusesten Wercken ist seine eigne lateinisch-verfertigte Lebens-Beschreibung, in welcher er sehr viel nützliches und seltsames von seiner Zeit und besondern Zufällen mit eingemischt, welches in unserer Landes-Geschichte zu großer Erläuterung dienen solte, wenn die Arbeit in Druck käme."[75] Leubscher, der Schwiegersohn von Christian Gryphius, wollte sie drucken, doch sein früher Tod hat ihn daran gehindert. Er war der letzte, der das Manuskript verwertet hat.

Bereits in Schönborn arbeitete Gryphius an einem Buch *Meletomenus*. Darauf weisen die Überschriften zweier Sonette hin, und zwar *Uberschrifft an dem Tempel der Sterbligkeit / auß A. Gryphij Meletomenus Ersten Buch.* und *Auß dem dritten Buch. Eben desselben wercks. An den gefangenen Dicaeus.*[76] Den Namen Dicaeus führte Georg Schönborner. Der Name Meletomenus (der Bekümmerte), dessen sich Gryphius später im *Weicherstein* selbst bediene, scheint auf den Seelenzustand des Dichters während seines Aufenthaltes in Schönborn hinzudeuten.

Gryphius trug sich auch mit dem Plan eines zeitkritischen Werkes, *Eusebia*, in dem er der „Zeiten Weh und unerhörte Noth . . . klar entwerffen" wollte. Verwirklicht wurde dieser Plan ebensowenig wie die Absicht, eine Geschichte des dreißigjährigen Krieges zu schreiben. Einen Traktat über Gespenster, *De Spectris*, den Hofmann von Hofmannswaldau in seinen Händen gehabt haben soll, kannte schon Christian Gryphius nicht mehr.[77]

Unbekannt ist uns heute schließlich auch ein Werk *Golgatha*, das der Dichter in der Vorrede zum vierten Buch der Oden erwähnt. Eine Disputation von Gryphius *De igne non Elemento* fiel, wie wir aus einem Epigramm erfahren, den Flammen zum Opfer.

# LATEINISCHE DICHTUNG

*Die Herodesepen*

Bereits im Gymnasium begann Gryphius Verse zu schreiben. Die ersten Versuche machte er natürlich in lateinischer Sprache. Eine seiner dichterischen Proben hat er 1633, als in Fraustadt wegen der Pest die Schulen geschlossen wurden, „durch häuslichen Fleiß zu Ende gebracht."[1] Dieses Epos, das Gryphius ein „Carmen Heroicum" nennt, erschien 1634 in Glogau unter dem Titel *Herodis Furiae et Rachelis lachrymae*.[2] Der Dichter behandelt darin die aus dem Matthäus-Evangelium bekannte Geschichte von Herodes und dem Kindermord zu Bethlehem. Sonst stützt er sich vor allem auf den jüdischen Geschichtsschreiber Flavius Josephus.[3] Zahlreiche Wendungen sind fast wörtlich aus antiken Werken übernommen und entstammen wohl zum großen Teil dem Zitatenschatz, den sich die Schüler im Gymnasium aneignen mußten.[4] Die deutlichsten Spuren hinterließ die *Äneide* des Vergil, aus der mehrmals ganze Verse übernommen wurden. So schreibt z. B. Vergil im Vers 694 des zweiten Buches: „Stella facem ducens multa cum luce cucurit". Bei Gryphius lesen wir im Herodes I, Vers 330: „Stella facem ducens clara cum luce cucurit". Auch Vers 784 der Gryphiusdichtung: „Quis cladem illius Lucis, quis funera fando" deckt sich mit Ausnahme eines Wortes mit Vers 1161 aus dem zweiten Buch der Äneide „Quis cladem illius noctis quis funera fando", und der Vers 251 ist identisch mit der Anfangszeile des zweiten Buches der *Äneide*. Durch die Verwendung von Zitaten und Wendungen aus Vergil, Ovid, Statius und anderen Autoren entsprach Gryphius den Erfordernissen des Zeitstils und befolgte die Anweisungen seiner Lehrer. Er verstand es, all das, was er fremden Werken entnommen hatte, mit seinen eigenen Erfindungen geschickt zu einem originalen Ganzen zu verschmelzen, so daß schon diese erste Probe seines schriftstellerischen Könnens eine nicht unbedeutende künstlerische Leistung ist.

Eine zweite wichtige Quelle seiner Inspiration war die sehr lebendige Volksüberlieferung des Herodesstoffes, die sich in Schlesien in Volksspielen bis ins 20. Jahrhundert erhalten konnte. In ihnen waren, so wie bei Gryphius, vor allem die Szenen mit Teufel und Tod stark ausgebaut. Lateinische Bearbeitungen des Stoffes veröffentlichten im 17. Jahrhundert außer dem Glogauer auch zahlreiche andere Dichter, u. a. Rist, Tscherning, Klajus. Diese Werke können sich jedoch nicht mit Gryphius' Debut messen, das sich sowohl durch Selbständigkeit der Komposition als auch durch die geschickte Anwendung der Topik auszeichnet.

Gryphius' lateinischer Stil, wenn auch an den Klassikern geschult, verrät den Einfluß des Pastorenhauses, in dem er aufgewachsen war, den Einfluß der Sprache des protestantischen Gottesdienstes und der Prosa der Predigten und Leichabdankungen. Aber auch deutliche Spuren der deutschen Umgangssprache finden wir in den Herodesepen, deren Sprache man nicht als klassisches Latein bezeichnen kann.

Um die Erforschung der lateinischen Jugendepen haben sich vor allem verdient gemacht Ernst Gnerich[5], der versuchte, die Quellen und Abhängigkeiten des Herodes-Epos aufzuweisen, und Wentzlaff-Eggebert[6], der die Epen interpretiert hat und den langen Entwicklungsgang vom lateinischen zum deutschen Stil bei Gryphius nachweisen wollte.

In den Widmungsdistichen des Epos wird eine Parallele zwischen dem blutigen Rasen des Herodes und den Grausamkeiten des dreißigjährigen Krieges gezogen. Der Ernst und das Pathos der Verse zeigen, daß wir es hier nicht mit einer gewöhnlichen Schülerarbeit zu tun haben, sondern mit dem Werk eines frühreifen Dichters. Ein Hauptmerkmal des Stils von Gryphius ist der häufige Gebrauch von ausdrucksstarken Antithesen. Antithetisch ist sogar der Titel: Herodes Wut und Rahels Tränen. Zu den häufigsten Gegenüberstellungen, die der Dichter auch später in seinen deutschen Werken mit Vorliebe verwendet, gehören die Begriffe Gott und Teufel, Himmel und Hölle, Leben und Tod, Übermut und Angst, Krieg und Frieden. Das Spiel mit Gegensätzen und Kontrasten führt zu einer unentwegten Stimmungsmodulation. Sie hängt eng mit Gryphius' Neigung zur Dramatisierung des Geschilderten zusammen, die in den Epen durch Ansprachen in direkter Rede und Dialoge, durch Fragesätze und Imperative, durch Anrufe und Interjektionen hervorgerufen wird. Ja, durch die Häufung dieser Stil- und Ausdrucksmittel gelingt es dem Dichter, die Spannung und Erregung noch zu steigern. Dramatisch wirkt aber nicht nur die Sprache, sondern auch der Aufbau der Epen. Die Einleitung zu Herodes I gleicht einer Dramenexposition, und beim Lesen des Epos haben wir den Eindruck, daß wir es mit der Beschreibung von Szenen eines Theaterstückes zu tun haben.

Auf dem Titelblatt des Epos steht ein lateinisches Chronogramm: „Laß o Tyrann dein Drohn, der Tod des Heilands muß siegen", das als der Ruf eines bedrängten Protestanten gegen die Tyrannei des katholischen Habsburg aufgefaßt werden konnte. Am Anfang seiner Dichtung gibt Gryphius der Freude über die Wiederkehr des Weihnachtsfestes Ausdruck. Seine Worte lehnen sich hier an die populären Weihnachtslieder Luthers und Heermanns an. Dann folgt anstelle der Musenanrufung die Bitte an den Heiligen Geist um Beistand beim Niederschreiben des Gedichtes.

Das eigentliche Epos eröffnet die Szene der Höllenberatung. Luzifer fühlt sich durch die Geburt des Menschensohnes bedroht und gibt in einer Ansprache an die Geister der Unterwelt seiner Hoffnungslosigkeit im Kampf gegen Gott Ausdruck. Seine Worte erschrecken die Höllenbewohner. Das zieht ihnen den Tadel des Taphurgus zu. Beelzebub rät, als Mordwerkzeug der Hölle Herodes zu gebrauchen, der „die Hydren an Unbändigkeit, den Tiger an Beweglichkeit, das Feuer an Heftigkeit, die Habgier an Schärfe, die Fluten an trügerischer Gefahr" übertreffe.[7]

Die Handlung fließt schnell, entwickelt sich sprunghaft und wirkt sehr dramatisch. Interessant ist die Darstellung der auftretenden Personen, die alle in Bewegung beschrieben werden. Luzifer besteigt den Thron, erhebt zornig den Dreizack, spricht mit böswillig flammendem Blick. Gryphius versteht es schon hier meisterhaft, Rede und Gegenrede zu führen und die Stimmung zu wechseln. Sein Wortreichtum ist erstaunlich, seine Sprache zeichnet sich durch Präzision und Ausdruckskraft aus.

Die Höllenberatung entspricht der Exposition im Drama. In ihr werden als Hauptkonflikt der Kampf zwischen Himmel und Hölle und als Hauptthema der Anschlag auf das Jesuskind angekündigt. Auch die Hauptperson, der jüdische König, wird in dieser Szene indirekt in das Epos eingeführt und charakterisiert. Der Höllenberatung folgen dann sechs Szenen: Herodes und die Magier, Anbetung des Kindes, Herodes' Blutbefehl, Flucht nach Ägypten, der bethlehemische Kindermord und die Klage der Rahel. Wenn wir den Schauplatz der Handlung als Einteilungsprinzip des Epos annehmen, erhalten wir also sieben Teile, die durch ihren Aufbau an die Szenen eines Theaterstückes erinnern. Im zweiten Herodesepos *Dei Vindicis Impetus et Herodis Interitus* machen wir dieselbe Beobachtung. Außer den Eingangs- und Schluß-versen besteht dieses Werk ebenfalls aus sieben Szenen: Versammlung der Himmlischen, das Reich des Todes, Gott und Götzen, Ankündigung des Unterganges von Herodes, Höllenberatung, Herodes' Untergang und die Heimkehr der Heiligen Familie. Die Grundkomposition entspricht also dem ersten Herodesepos. Gryphius hat sie im Sinne der Zahlensymbolik durchgeführt und die 7 spielt hier eine besondere Rolle.[8]

Nicht nur Gryphius' Vorliebe für Häufung und maximale Steigerung, sondern auch für schreckliche, naturalistische Schilderungen findet in den Herodesepen einen Ausdruck. So übertrifft die Beschreibung von Herodes Siechtum beinahe das, was wir später in den Kirchhofsgedanken finden. Dort schreibt Gryphius über Leichen und Gerippe, hier dagegen „über einen lebendigen Kadaver". „Feuer frißt sein Mark, blutigen Eiter speit er aus. Unersättlicher Durst und Hunger quält ihn, sein Inneres ist von stinkend fauligen Geschwüren aufgetrieben, von Würmern zernagt. Seine Lenden und Glieder triefen von ekler Lymphe und Eiterblut, die Haut ist ganz gespannt, so aufgedunsen ist alles. Ein pestartiger Geruch wie von Leichen erfüllt die Luft. Dem geschwollenen Halse entringt sich mühsames Röcheln, in den Ohren braust es ihm, im Fieber friert und glüht er . . . Das Fleisch von den Knochen schwindet wie Schnee vor dem Südwind oder Wachs vor der Flamme. Hals, Haupt, Waden, Hände, Finger, Schultern, Arme gehen in ‚Fluß' über. Aufgedeckt wird der ‚Sitz des Atems' . . . Die Augen treten aus ihren Höhlen, das gebleichte Haar starrt von schmutzigem Eiterblut, Mund und Wangen sind verfallen, in den Augenhöhlen steht Blut . . ."[9]

Entsetzlich ist auch die expressive Beschreibung des Wütens der Krieger in Bethlehem. Der Bericht vom bestialischen Mord wird nur durch die Schreie der Kleinsten nach ihren Müttern unterbrochen. Die lange Reihe der schrecklichen Greuel erinnerte die Zeitgenossen von Gryphius wohl an ihr eigenes Verhängnis und ihre eigenen traurigen Erfahrungen, denen sie während des Krieges ausgesetzt waren. Den Bericht vom blutigen Wüten der Söldner unterbricht der Dichter mit dem ergreifenden Ruf: „Hätt ich Nerven aus Eisen, ein Herz von libyschem Marmor, hier flösse doch ein Strom von Tränen. Hätte mir Gott

100 tönende Kehlen, weitfassenden Geist und alle Gaben verliehen, ich könnte doch nicht alle Mordtaten an den Knaben darstellen."[10]

Die Schilderung der Bestialität erreicht einen Höhepunkt mit dem Bericht über den Tod der Mutter der Zwillinge. Ein Soldat erdolcht die Zwillinge einer Schwangeren, die in Geburtswehen mit dem dritten Kind darniederliegt. Die sich in Schmerz windende, verzweifelte Frau ruft die Rache des Himmels auf den ruchlosen Mörder herab. „Dieser aber schleppt die Kreißende an den Haaren heran und stößt der in der Blutlache der Kinder Ausgleitenden das Schwert bis zum Heft in den Leib, aus dem der Fötus fällt. – Doch die Sterbende will sich noch rächen. Wütend stürzt sie sich, im Zorne stark, auf den Mörder, gräbt ihre Finger und Zähne in sein Gesicht und reißt ihm die Augen aus den Höhlen. Sie selbst aber tritt auf ihr verschüttetes Eingeweide, zerreißt es, verwickelt darin die Glieder und stürzt endlich mit geleertem Leibe zusammen."[11]

Einzigartig ist die schauerliche Vision des Totenreiches im zweiten Herodesepos. Gryphius arbeitet hier wie ein Kameramann, der seine Kamera vom Allgemeinbild zum Detail führt. Er beschreibt den Wolkenflug des Engels Gottes, der sich dem Reich des Thanatos nähert, und dann den Gang des himmlischen Boten durch die Burg. Je näher er seinem Ziel, dem Tod, kommt, um so genauer und um so mehr ins einzelne gehend wird die Beschreibung.

An zwei Stellen treten in den Herodesepen Geister auf. Das erste schließt mit den Tränen der Rahel, die, durch den Jammer der Mütter erschüttert, dem Grabe entsteigt und ihre elegische feierlich gestimmte Klage erhebt. Rahel erscheint hier in ihrer ganzen Schönheit mit goldenem Haar, schneeiger Brust und rosaroten Wangen. Dagegen ist der Geist der ermordeten Mariamne, der im zweiten Epos Herodes sein grausames Ende ankündigt, ein schreckliches Gespenst mit blutverklebtem Haar, blassem Antlitz und einer durch eine Wunde aufgerissenen Brust. Mariamne verkündet dem Herodes Gottes Urteil, wirft sich auf sein Lager und übergießt ihn mit dem Blut, das aus ihrer durchschnittenen Kehle spritzt. Der König springt entsetzt auf und glaubt die Geistererscheinung einem bösen Traum zuschreiben zu müssen. Geistererscheinungen und Träume finden wir später auch in den deutschen Tragödien von Gryphius.

Gryphius verstand es in seinen Herodesepen neben Mord, Tod und Hölle einige Male Szenen voll Ruhe und lyrischer Verzückung zu zeichnen. Zu ihnen gehört die Anbetung des Kindes. In lichterfüllten, farbenprächtigen Bildern schildert Gryphius eindrucksvoll den Einzug der Weisen und die Mutter Gottes mit dem Kinde. „Maria thront in der Mitte des Raumes. In sonnenhellem Lichte strahlt die heiligste Jungfrau, Sterne wandeln um ihren goldenen Scheitel und der Mond gießt unter ihren heiligen Füßen sein Licht aus. Dem nackten, lichtumflossenen Knaben auf ihrem Schoß reicht sie die Brust."[12]

Auch die letzte Szene des Herodes II steht in krassem Gegensatz zu dem schauerlichen Grundton der Dichtung. Nachdem die Heilige Familie, die in Ägypten weilt, zur Heimkehr aufgefordert worden ist, folgt eine farbenvolle Schilderung der Natur, die sich aus diesem Anlaß in ein sonniges und heiteres Frühlingsgewand kleidet.

Die Herodesepen von Gryphius stehen im Spannungsfeld von Bibel, antiker Überlieferung, lateinischem und deutschem Schrifttum, von Volksspiel und Zahlenkomposition. Trotzdem verstand es der Dichter, ein organisches Ganzes zu schaffen, in dem die Harmonie zwischen Gehalt und Form vorbildlich ist. Das Tempo der Rede ist meisterhaft den geschilderten Ereignissen angepaßt. Die dynamischen, bunten und üppigen Beschreibungen von Gryphius wirken wie Barockgemälde. Die Häufung von Aufzählungen, Fragen und Imperativen, die Licht- und Schatteneffekte, das Dynamische und Getriebene, die Tendenz zu maximaler Zusammendrängung des Wortmaterials und zum Superlativ weisen schon in den Herodesepen auf die wichtigsten stilistischen Eigentümlichkeiten des großen Dichters hin.

*Parnassus renovatus und andere Gedichte*

Im Jahre 1636 verfaßte Gryphius ein langes, 420 Hexameter zählendes lateinisches Lobgedicht auf Georg Schönborner, den *Parnassus renovatus*.[13] Der Dichter bewegt sich hier sowohl in formaler als auch in stilistischer Hinsicht im Rahmen der in den Herodesepen erprobten Mittel, doch es gelingt ihm nicht, einen Gleichklang von Inhalt und Form herzustellen. Er bemüht sich in diesem Werk besonders, mit der Kenntnis der Antike zu prangen, um so das Lob seines gelehrten Gönners zu verdienen. Nach dem Musenanruf erzählt der Dichter, wie Fama bei Phöbus über die Unfähigkeit der Poeten klagt. Daraufhin wird eine Götterversammlung einberufen mit Minerva, Diana, Venus, Cupido, Pan, mit Tritonen, Faunen und Satyren. Sie diskutieren über Fragen der Dichtkunst und überlegen, wie man ihren Tiefstand heben könnte. Pallas Athene findet die Lösung. Sie kennt den ersehnten Retter der Dichtung Georg Schönborner. Phöbus ernennt ihn zu seinem Nachfolger und das Hexametergedicht findet in einem überschwenglichen Lobhymnus auf den kaiserlichen Hofpfalzgrafen seinen Abschluß. Der *Parnassus renovatus* stört heute unser Ohr durch seinen ausgeklügelten Inhalt und die konventionellen Lobhudeleien. Er gehört zu den Dutzendprodukten der neulateinischen Poesie.

Spätestens 1636, also zwei Jahre nach dem Erscheinen des Herodes I, schrieb Gryphius seine ersten, zum Teil schon hervorragenden deutschen Sonette.[14] Wir begegnen in ihnen, nun in der Nationalsprache, einer Reihe von Stilmerkmalen, die wir bereits in den lateinischen Herodesepen wahrgenommen haben. Obwohl seit dem Jahre 1636 die Dichtung in deutscher Sprache bei Gryphius in den Vordergrund rückt, schreibt er sein ganzes Leben hindurch lateinische Verse.

Als 1638 nach jahrelangen Verfolgungen der aus Schlesien verbannte Bruder des Dichters, Paul Gryphius, vom Kurfürsten Georg Wilhelm im brandenburgischen Krossen zum Superintendanten ernannt wurde, übersandte ihm Andreas aus Leyden drei lateinische Gedichte.[15] Im ersten spielt der Dichter auf die Verfolgungen und das Martyrium seines verfolgten Stiefbruders an. Interessant ist das zweite, 62 Verse zählende Gedicht *Per grave sursum*. In einer Vision erscheint Christus dem in einem schattigen Tale seine Herde hütenden Paul Gryphius, lädt ihm das Kreuz auf seine Schultern und läßt ihn einen steilen felsigen Weg bergauf gehen. Oben, hoch in den Wolken, erwarten ihn Marter, Kreuz und Tod. Christus mahnt den Pastor zum Ausharren und fordert ihn auf, ihm dann ins Himmelreich zu folgen. Nach dem Verschwinden der Vision versinkt der Pastor in ein Gebet. Schon in diesem Gedicht also ist die Idee der Nachfolge Christi, die Gryphius später immer wieder variierte, deutlich ausgeprägt.

Im dritten Traumgedicht, dem *Somnium poeticum*, sieht Andreas den Bruder einen Seesturm mit Gottes Hilfe überstehen. Auch diese Verse haben symbolhafte Bedeutung.

Im Jahre 1643 gab der Dichter in Leyden ein Buch lateinischer Epigramme heraus, das 67 Gedichte enthält.[16] Manheimer und nach ihm

Wentzlaff-Eggebert[17] werten diese Gedichte vollkommen ab. „Das ganze Buch", schreibt Manheimer, „ist das wertloseste, was überhaupt von Gryphius gedruckt ist".[18] Diese Ansicht teilte wohl weder der Dichter noch seine Freunde, wenn er gerade 1643, als er selbst ein Kolleg über Poetik in Leyden hielt und vorbildlich wirken wollte, die Epigrammata drucken ließ. Manheimer beurteilt das Werk von Gryphius nach Maßstäben des 20. Jahrhunderts und wirft dem Glogauer vor, daß er Owen und Martial um ihre Einfälle bestiehlt.

Tatsächlich beweist der Vergleich in einigen Fällen, daß Gryphius sein Vorbild zweifelsohne nur umgeschrieben hat. So schreibt z. B. Martial in Buch III, 26:

> Omnis solus habes: nec me puta velle negare!
> Uxorem sed habes, Candide, cum populo.

Bei Gryphius lautet das 20. Epigramm:

> Omnia solus habes: aes, aurum, praedia, gemmas,
> Nec tamen uxorem, Pontice, solus habes.

Trotzdem hat es der Dichter wohl nicht als Plagiat empfunden, sondern als Variation des Originals. Es gehört zu den charakteristischen Merkmalen von Gryphius, daß er einen Gedanken in seinem Schaffen immer wieder aufgreift und ihn dann in verschiedenen Gedichten mehrfach variiert.

Die Mehrzahl seiner lateinischen Epigramme sind reine Gelegenheitsdichtung und wenden sich an Verwandte und Bekannte. Insofern interessieren sie auch den Forscher. Die Sammlung enthält auch ein Gedicht auf seine Schrift über Chiromantie.


## Olivetum

Noch im Jahre 1646, also nachdem Gryphius bereits zahlreiche deutsche Sonette, Oden und Epigramme veröffentlicht hatte, gab er eine längere lateinische Hexameterdichtung heraus. Es war das Ölbergepos Olivetum,[19] das er damals dem Senat der Stadt Venedig überreichte. Der Dichter verwertet in ihm die bereits in den Herodesepen erprobten Ausdrucksmittel und folgt seinem Jugendwerk in einzelnen Bildern und Szenen. Da aber im Olivetum der Schwerpunkt auf der christlichen Lehre ruht, kann Gryphius nicht so frei verfahren wie im Herodes, in dem er sich antiker Vorstellungen bedient. Diese Beengung der Phantasie ist besonders in den Abschnitten deutlich, wo sich der Dichter gezwungen fühlt, genau dem Evangelienbericht zu folgen. Gryphius versucht trotzdem immer wieder, Möglichkeiten für seine Phantasieentfaltung zu finden. Die willkommene Gelegenheit bot die Szene in der Unterwelt. Die gegen Christus aufbrechenden höllischen Ungeheuer werden in einer Art von Totentanz vorgeführt. In einem schauerlichen Aufzug ziehen die bluttriefende Strafe und die Erinnyen mit Marterwerkzeugen und den Symbolen der Passion Christi vorbei, ihnen folgen der Tod, Hunger, Durst, Seuche, List, Begierde, Krieg, Tränen und der Schrecken. Sie werden von Luzifer, zu dem sich die Pest und die Verzweiflung gesellen, angeführt.

Auch in der Szene von den zu Füßen des Heilandes schlafenden Jüngern konnte der Dichter seine Phantasie spielen lassen. Er schildert die Träume des Johannes und Petrus, in die Bilder aus der Leidensgeschichte Christi eingeflochten werden. Der Übergang vom Traum zur Wirklichkeit wird durch den Dichter meisterhaft gelöst. Johannes träumt, daß der Gekreuzigte auf ihn herabblickt, und in diesem Augenblick weckt ihn Christus.

Die Kreuzigung selbst wird von Gryphius nicht unmittelbar beschrieben, sondern in der Form einer Rahmenerzählung wiedergegeben. Während Himmel und Erde erzittern und unheimliche Naturerscheinungen Christi letzten Leidensweg begleiten, schildert der Flußgott Kidron den Nymphen den Märtyrertod Christi. Es ist zweifellos eine Analogie zu den ersten Tragödien des Dichters, in denen das Martyrium des Helden nicht auf der Bühne gezeigt, sondern nur durch einen Boten berichtet wird.

Dem Titel entsprechend, wird in dem Epos vor allem das Geschehen auf dem Ölberg beschrieben. Christi Passion dagegen wird auffallend kurz behandelt. Vielleicht hatte Gryphius schon damals das später erwähnte, aber uns nicht erhaltene Werk *Golgatha* entworfen oder plante es zumindest. Der Dichter schildert die Szene der Schwäche Christi auf dem Ölberg und sein Ringen als Kampf zwischen Himmel und Hölle, zwischen Gut und Böse. Im Mittelpunkt dieser ewigen Auseinandersetzung steht der Mensch, den hier Jesus, der Menschensohn, verkörpert. Es ist die übliche Vorstellungswelt des Volkes.

Nach 1646 schrieb Gryphius noch eine Reihe lateinischer Gedichte, von denen aber nur ein Teil veröffentlicht wurde. Leubscher berichtet, daß Gryphius kurz vor seinem Tod eine Sammlung seiner lateinischen Epigramme und Dichtungen für den Druck, der dann nicht mehr zustande kam, vorbereitet hat. Als Proben veröffentlicht er aus diesem Manuskript zwei gelungene Epigramme.[20]

Die lateinische Poesie von Gryphius, deren künstlerischer Wert sehr verschieden ist, hat zum Teil eine nicht geringe Bedeutung als Vorstufe für seine deutsche Dichtung. Deshalb haben wir in diesem Kapitel auch besonders auf diejenigen charakteristischen Merkmale hingewiesen, die wir in den deutschen Werken des Dichters wiederfinden.

# LYRIK

Die deutschsprachigen Dichtungen von Gryphius erschienen in der Zeit von 1637 bis 1664. Zwischen der Erstveröffentlichung der Lissaer Sonette und der Ausgabe letzter Hand von 1663 verstrichen also 26 Jahre. In dieser Zeit hatte Gryphius mehrmals Gelegenheit, seine Gedichte zu verbessern. Der Vergleich der Fassungen wirft ein interessantes Licht auf seinen Schaffensprozeß und auf die Entwicklung seiner theoretischen Ansichten. Die wichtigsten Gedichtausgaben von Gryphius werden im Verlauf der weiteren Ausführungen wie üblich mit großen Buchstaben bezeichnet: die Sonn- und Feiertagssonette von 1639 mit A, die Veröffentlichungen von 1643 mit B, die erste, 1646 abgeschlossene und 1650 gedruckte Gedichtsammlung mit C und die beiden folgenden Ausgaben von 1657 und 1663 mit D beziehungsweise E.[1]

Die Änderungen, die Gryphius durchführte, wurden meist aus Rücksicht auf Metrik und Poetik vorgenommen. Er war bemüht, seine Verse korrekter und klarer zu gestalten; dagegen hat er kaum jemals eine Vertiefung seiner Gedanken angestrebt. Die Verbesserungen erfolgten oft wegen Einzelheiten und dabei verlor das Gedicht als Ganzes nicht selten an Stileinheitlichkeit und dichterischer Originalität. Man muß also bei Gryphius' Dichtung den Schaffensprozeß von der analytischen Korrektur unterscheiden, die weitgehend durch die Entwicklung des deutschen Sprachgefühls und der immer strenger werdenden Forderungen der Poetiken bestimmt wurde. So sind die Gedichte seiner Ausgabe letzter Hand glatter, fließender, objektiver und stehen dem Zeitstil näher, die Gedichte seiner Erstausgaben dagegen sind wortgewaltiger und schwerfälliger. Der Stil des jungen Dichters ist subjektiv und eigenwillig. Später versucht Gryphius den einzigartigen tragischen Tonfall seiner Jugendverse dem Klischee der Dichtung seiner Zeitgenossen anzupassen. Glücklicherweise ist ihm das niemals vollkommen gelungen.

Seit Opitzens *Buch von der deutschen Poeterey* mußten die Dichter der
Wortbetonung höchste Aufmerksamkeit schenken, denn von ihr ist zum
nicht geringen Teil der Fluß des Verses abhängig. Gryphius gebraucht
gern die zweisilbigen Partikelzusammensetzungen wie also, dennoch,
darum, deren Betonung willkürlich sein konnte. Er bedient sich auch
mit Vorliebe einsilbiger Wörter, die ebenfalls nach Belieben die metrische Hebung oder Senkung tragen können. Dadurch aber, daß sich
Gryphius dabei nicht um die logische Betonung kümmert, kommt es
manchmal in seinen Versen zu Härten:

> „Aĺs vŏr dēm Gŏtt stēts mŭß graū'n."[2]

Beim Lesen des Verses gewinnt die logische Betonung, die auf dem
Wort „Gott" ruht, die Oberhand, stört den trochäischen Rhythmus
und wirkt sich im Endresultat positiv aus, indem sie der Eintönigkeit
entgegenarbeitet. Der logische Akzent spielt in der gesamten Dichtung
von Gryphius eine bedeutende Rolle. Wenn er mit der metrischen
Hebung übereinstimmt, gewinnt er an Kraft und bestimmt das Tempo
des Verses. Wenn wir heute die Gedichte von Gryphius aufmerksam
lesen, werden wir immer wieder feststellen, daß das Verstempo sich
unentwegt ändert. Einmal wird es beschleunigt, dann wieder plötzlich
gehemmt. Dieses unregelmäßige Pulsieren gehört zu den charakteristischen Merkmalen von Gryphius' Dichtung. Nicht zuletzt wirkt sich
hier die Tatsache aus, daß wir heute manche Worte anders betonen.
So akzentuiert zum Beispiel Gryphius „lébendig", wir dagegen „lebén-
dig". Die Verbalkomposita betont er immer auf der Stammsilbe:
auffréiben, ankómmen, einbréchen. Ähnlich verfährt er mit den nomi-
nalen Zusammensetzungen und akzentuiert sie auf der zweiten Silbe:
unfrúchtbar, großmütig, Jungfráuen. Dagegen verfährt er mit Fremdwörtern und antiken Namen ziemlich inkonsequent.

Durch diese Handhabung der Betonung, vor allem im Fall der Ein-
silber und Komposita, wird das Verstempo der Gedichte von Gryphius beeinträchtigt und im Vortrag klingen sie deshalb meistens
schleppend, hart, feierlich. Somit entsprechen sie aufs beste ihrem ern-
sten, dramatischen Gehalt. Manheimer, der von ähnlichen Erwägungen
ausgeht, kommt zu dem absurden Schluß, daß der Dichter auf die
Wirkung der Rezitation keinen großen Wert legt und daß seine Dichtung vor allem zum Lesen bestimmt ist.[3] Den Satz, daß Gryphius

„Buchdramen" schrieb, widerlegte Flemming, und der Behauptung, Gryphius' Lyrik sei unsangbar, widersprechen seine Oden und Lieder, die oftmals in Gesangbüchern zu finden sind.

Gryphius war bestrebt, in möglichst gedrängter Form möglichst viel zu sagen. So bemühte er sich um die Kürzung von Wortformen. Das gilt vor allem für seine frühe Lyrik und seine Tragödien. Besonders häufig ist bei Gryphius die Auslassung von Vokalen am Wortende vor Selbstlauten, viel häufiger als bei anderen Dichtern dieser Epoche. In seinen frühen Gedichten finden wir aber auch zahlreiche Auslassungen des Endvokals vor Mitlauten, die Opitz verbietet: „Wann auff das e ein Consonans oder mitlautender Buchstabe folgt, soll es nicht aussen gelassen werden: ob schon niemandt bißher nicht gewesen ist, der in diesem nicht verstossen."[4] In der Ausgabe B der Sonette von 1643 hat Gryphius diesen Hinweis streng befolgt und hat es nicht gescheut, ganze Verse umzubauen, nur um die Apokopen zu entfernen. Eine Ausnahme bilden hier die Reim-, Imperativ- und Zäsurapokopen. Ausnahmsweise bleiben sie auch in den Senkungen erhalten. Nach 1650 läßt Gryphius wieder Apokopen zu. Er apokopiert vor allem Substantive, nicht selten auch Verba. „Ich seh' wohin ich seh" schreibt er in der Ausgabe B in „Dv sihst, wohin du sihst" um. Am häufigsten kommen Apokopen bei den Feminina, bei dem Dativ der Einzahl und manchmal bei Pluralformen vor.

In den Lissaer Sonetten finden wir auch eine ganze Reihe von Synkopen, also Auslassungen von unbetonten Vokalen oder Silben im Wortinnern. Auch gegen diese kämpft Opitz an und Gryphius ist bestrebt, schon in den Sonn- und Feiertagssonetten starke Synkopen wie han, deim, lan, eim aus dem Text zu bannen. Aber Formen wie Herbsts, Diensts, Fleischs bleiben in seinen Werken immer bestehen. Gleichzeitig bemüht er sich, die in eine Silbe nicht passenden Diphtonge, nach denen ein r folgt, aus dem Text zu entfernen, und deshalb versucht er, solche Worte wie Feur, traurt durch andere Synonyma zu ersetzen.

Gryphius tilgt in späteren Ausgaben die Verschmelzung von Präposition und Artikel: vorm, ins, und läßt lieber den Artikel aus. Dagegen kommt die Dehnung eines Verses durch ein tonloses e um des Reimes oder Rhythmus willen bei ihm kaum vor. Seine ganze Aufmerksamkeit, sein Sprachempfinden gilt dem Kurzfassen, der Kürzung, der Wortballung.

In seinen Jugendsonetten bedient sich Gryphius ausschließlich des Alexandriners. Diese Versart wird seit dem 18. Jahrhundert abgelehnt, und es fehlt nicht an theoretischen Untersuchungen, die dem Alexandriner jede dichterische Eignung absprechen. Selbst Manheimer glaubt, daß er für Gryphius und die deutsche Literatur zum Unheil wurde.[5] Dank der zweischenklig parallelen Struktur soll nämlich der Alexandriner monoton und schwülstig wirken. Diese Anschauung ist, glaube ich, sehr einseitig und wird durch die dichterische Praxis des 17. Jahrhunderts und die besten Werke der Epoche widerlegt. In der Zeit des großen Experimentierens mit dem Vers hätte man den Alexandriner wohl bald verworfen, wenn er dem repräsentativen und rhetorischen Zeitstil nicht entsprochen hätte. Kaum ein Vers kann die Antithesen, Kontrastwirkungen und den Rhythmuswechsel so leicht ausdrücken wie gerade der Alexandriner. Gryphius beweist mit seiner besten Lyrik, die zu den vollendetsten Leistungen deutscher Dichtung gehört, daß der Vers seiner Denkart entsprach und daß er ihn elastisch, spannend, abwechslungsreich und kunstvoll gestalten konnte.

Gryphius ist ein Meister des Rhythmus und versteht es, auch die Zäsur in seinen Dienst zu stellen. Einmal bricht er hier den Satz ab, ein anderes Mal wieder bedeutet die Zäsur nur einen schwachen Einschnitt. Er liebt es, im Sonett den Satz, anstatt ihn mit der achten Quartettperiode abzuschließen, fortzuführen bis zur Zäsur des neunten Verses. Dazu kommt noch die meisterhafte Handhabung des Enjambements von Vers zu Vers und über die Zäsur. In seinen späteren Gedichtausgaben führt er mit Vorliebe weitere Zäsur-Enjambements ein.

Später verwendet Gryphius außer dem Alexandriner auch verschiedene andere Verse; neben dem fünfhebigen Vers commun schreibt er 14- und 15silbige Trochäen, in die er einige seiner Alexandrinersonette umdichtet. Es ist keine glückliche Lösung, denn die Verse wirken eintönig. Außer Jamben und Trochäen schreibt er auch eine Reihe hervorragender Daktylen. Sie treten vor allem dort auf, wo der Dichter eine große Gemütsbewegung wiedergeben will. Beschwörende Geisterformeln, Jubel- und Dankgedichte und Verse, die Schrecken und Grauen schildern, werden von Gryphius in Daktylen gedichtet. Manchmal bilden die Einschnitte der Wortfüße in den Versfüßen eine Art von Zäsur, wodurch die Verse sehr lebhaft wirken.[6] Diese Art der Versbehandlung hatten schon Zesen und Schottel empfohlen.

Bei der Umarbeitung versucht der Dichter, wenig sagende Flick-worte zu meiden und entfernt nach Möglichkeit Ausdrücke wie: auch, nun, doch, noch, jetzt, gar, denn, ganz, stets, mehr, recht, nur, bald, lauter, ja, doch, doch schon, jetzt stets, um und um, hier, drum, mit kurzem, hergegen.[7] Der Verzicht auf diese Hilfsworte steht im Ein-klang mit dem Versuch, durch Wortstellung und Wortwahl eine aus-drucksstarke Dichtersprache zu schaffen.

Eine große Rolle spielt in der Dichtung von Gryphius die Allite-ration und die Assonanz. Durch die Anwendung dieser Mittel kann Gryphius das Verstempo beeinflussen. Er bedient sich der Alliteration sehr geschickt, ohne jemals in aufdringliche Spielereien zu verfallen. Wir bringen einige Beispiele für die verschiedenen Arten des Stab-reimes, ohne auf Einzelheiten einzugehen: Angst und Ach, kein Tod kein Teufel, weder Weh noch Wohl, schneidend Schwert, höchste Heilig-keit, wisch die Wangen, Kind erkoren, der du durch den, ich ruf! o ruht. Manchmal bedient er sich der Alliteration durch mehrere Verse hin oder zweier Alliterationen in einem Vers. Ein anderes Mal teilt er die Alliterationsglieder durch die Zäsur.

Gryphius ist ferner ein Meister der Assonanz und verleiht dem Vers durch den Gleichklang der Vokale eine innere Musikaliät. Im 17. Jahr-hundert schreibt man zwar viel über Klangmalerei, aber oft wird sie bei den Dichtern nur zur oberflächlichen Spielerei. Gryphius dagegen verwendet sie mit großem Verständnis, ohne daß die Assonanz jemals zum Selbstzweck wird. Hier einige Beispiele: Segens ... Regen, Zank und Brand, Ach nicht Pracht, des Halses falsche Pracht.

Oft finden wir auch Assonanzen von Reim- und Zäsursilbe: Leib ... heist ... weis. Mit der Zeit versucht der Dichter, sie auszubauen und mannigfaltiger zu verwenden. Erst während seiner Glogauer Amtszeit in seinem letzten Lebensabschnitt ist er auf diesem Gebiete wieder nachlässiger. In einer eindrucksvollen Zusammenstellung bringt Man-heimer eine Anzahl von Beispielen aus der Dichtung von Gryphius, in denen der Klangfarbe eine besondere Rolle zufällt: Ihr Fackeln, die ihr Nacht und schwarze Wolken; was harter Flammen Grimm; wird von der Erden Schlund die Erden selbst verzehrt; seht gehn und stehn und leben; der Mauren altes Graus, dies unbebaute Land.[8]

Viel Aufmerksamkeit widmet Gryphius der Reinheit der Reime. Nach seiner Frankreich- und Italienreise unterscheidet er im Reim streng die langen und die kurzen Vokale, die er früher manchmal miteinander reimte. In der Ausgabe C scheute er sich nicht, aus diesem Grunde sogar ganze Verse umzubauen. Die Änderungen betreffen vor allem Reime wie Gott und Not, hat und Rat.

In seinen Dichtungen wird am häufigsten Verb mit Verb und Substantiv mit Substantiv gereimt. Bei klingenden Reimen bedient sich Gryphius vor allem solcher Wörter, die in der zweiten Silbe ein Flexions-e aufweisen. In dieser Hinsicht unterscheidet er sich grundsätzlich von Fleming und Zesen. Zu den beliebtesten stumpfen Reimen gehören die Endungen -acht, -elt, -ein, -oth, -icht, -and, -eit, -ehst. Es sind alles Silben, die stark beschwert werden. Fleming dagegen zieht leichte Silben vor: -ihr, -an, -ich.[9]

Als Gryphius im Jahre 1662 mit dem Beinamen „Der Unsterbliche" in die Fruchtbringende Gesellschaft aufgenommen wurde, fühlte er sich verpflichtet, aus seiner Dichtung die Fremdwörter zu verbannen. Daß es ihm damit ernst war, beweist seine Ausgabe letzter Hand aus dem Jahre 1663, in der er die meisten Verdeutschungen von Fremdwörtern vornahm. Er ersetzte Ade durch Fahrt wohl, Phantasie durch Bilder, Kometen durch irrend Feur, Port durch Ufer, Parlament durch Herrenhaus. Zahlreiche Verben fremder Abstammung wie kassieren, regieren, triumphieren und jubilieren ist er bemüht, obwohl sie oft als Reimworte gebraucht werden, durch andere Wendungen zu ersetzen. Nach Möglichkeit meidet er in den späteren Ausgaben triviale, drastische und provinzielle Wörter. Diminutiva wie Blümlin, Häufflin, Stündlin, die in den Lissaer Sonetten und den Sonn- und Feiertagssonetten so oft vorkommen, werden in der Ausgabe C entfernt.

Gryphius versucht in späteren Ausgaben, die Schwerverständlichkeit, Unklarheit und Dunkelheit zu überwinden, die manchmal durch den sehr konzentrierten Stil entstehen, der oft Worte, die zum Verständnis wichtig sind, ausläßt. Er bemüht sich ebenfalls, den Fluß seiner Sätze zu steigern, indem er Präpositions- und Ortsadverbien wie: worin, drin, draus, drauf, danach, dadurch, damit entfernt. Er tilgt auch zahlreiche Hilfsverben, beschränkt die Vielgliedrigkeit seiner Häufungen und enthärtet sie durch ein dazwischengeschobenes ‚und'. Dagegen wird oft das ‚und' ausgestoßen, wenn es zwei Substantive verbindet, und das zweite Substantiv in einen Genitiv umgeschrieben.

Zu den bevorzugten Stilmitteln von Gryphius gehört die Antithese. Das ganze Leben hindurch feilt er an ihr herum, gestaltet sie künstlicher, dialektischer; sie wirkt dabei später oft schwülstig. Der Zeittendenz entsprechend, neigt er in späteren Jahren zum unbestimmten Ausdruck, ersetzt im Text der Verse die genauen Zahlenangaben durch allgemeine und führt zahlreiche abstrakte Ausdrücke ein. Trotzdem wird sein ungewöhnlicher Subjektivismus und seine Egozentrik dadurch nicht beseitigt. Um jeden Preis ist er bestrebt, Spuren der Umgangssprache zu verwischen. Wenn ihn seine konventionelle Metaphernsprache stört, versucht er sie durch gesucht elegante Wendungen zu ersetzen und kommt gegen Ende seines Lebens oft in die Nähe des Manierismus. Das Bestreben, der repräsentativen Rhetorik gerecht zu werden, hat zur Folge, daß er Fragen, Ausrufe und Superlative, die schon in seinen Jugendgedichten häufig auftreten, in den späteren Ausgaben mehrt und noch verstärkt. Interessant ist, daß Gryphius gegen zwei theologische und weltanschauliche Begriffe vorgeht und sie in C beziehungsweise in D nach Möglichkeit meidet. Es sind die Worte Teufel und Ewigkeit. Ewig wird oft durch unendlich ersetzt.[10]

*Thematik*

Gryphius führt immer wieder Anklage gegen sein Schicksal. Er beschreibt in den schwärzesten Farben sein Leben, angefangen von seiner Geburt und Kindheit bis zu den Verlusten der Nächsten. Er klagt wieder und wieder über die tragischen Anfeindungen und leidvollen Krankheiten, über die Verwüstung und den Untergang des Vaterlandes, und wenn man seinen Versen glauben darf, hat er unentwegt eine unheimliche Weltangst empfunden. „Die Troubadour-Lyrik, die in Dantes ‚Vita nuova‘, in Petrarcas und seiner unzähligen Nachfolger Sonetten nachfolgte, kannte im wesentlichen nur Liebesschmerzen. Die Neulateiner, und besonders die Jesuiten, legten ihre Leiden Hiob und Rahel, Zion, einem Heiligen in den Mund, wie dann auch Gryphius gelegentlich. Wenn Heermann in erster Person auftrat, färbte er seine Klagen typisch: Einer unter vielen Betrübten klagte. Fleming und die Dichter des Gesellschaftsliedes sprachen von sich meist bei erotischem und freundschaftlichem Anlaß, Logau arbeitete doch immer auf die Pointe zu, und wenn Dach oder Tscherning ihre Schmerzen bejammerten, so taten sie es etwa am Schluß eines Gelegenheitsgedichtes oder um Zwecke zu erreichen; nie monologisierten sie so abseits wie Gryphius."[11] Manheimer sieht mit Recht in der „Intensität des Fühlens", mit der Gryphius seine persönlichsten Erlebnisse in seinen Gedichten zum Ausdruck bringt, das Zukunftweisende. Diese Intensität, die absolute Wahrhaftigkeit sowie die maximal konzentrierte, gedrängte Form und künstlerische Meisterschaft verleihen seinen besten Gedichten einen zeitlosen Wert.

Die schweren Erfahrungen von Gryphius und seine persönliche Veranlagung verursachten, daß er Jammer und Unglück immer wieder selbstquälerisch analysiert und in einer Unzahl von Dichtungen variiert. Gleichzeitig bilden diese Erfahrungen die Grundlage seiner Hauptidee, des Vanitasgedankens. Alles ist für den Dichter eitel und vergänglich. Der Mensch ist nur ein Ball des Glücks, der Schauplatz aller Angst, das Irrlicht der Zeit, eine abbrennende Kerze. Jugend und Schönheit, Kraft und Macht, Wissenschaft und Reichtum, nichts ist dauerhaft, alles vergeht. Gryphius behandelt in einer Unzahl von Wendungen und Wörtern immer wieder diesen unheimlichen Gedanken, umschreibt ihn, gestaltet ihn zu ganzen Satzketten, wertet die Terminologie der Bibel und der Leichenpredigten in dieser Richtung voll aus, häuft sie und fügt sie mit nie dagewesener künstlerischer Gestaltungskraft zu entsetzlichen, mahnenden Bildern. Die Vanitasidee, der Hauptgedanke der Dichtung von Gryphius, beherrscht schon seine erste Gedichtsammlung. Später findet er in der Vorliebe für Märtyrertragödien Ausdruck. Ihm verdankt seine Dichtung zu einem nicht geringen Teil ihre Dauerhaftigkeit, ihre Zeitlosigkeit, gleichzeitig aber ist sie durch ihn beengt und begrenzt. Der Gegenpol der Vanitasidee, aber auch seine Folge, ist bei Gryphius der Gedanke von der Beständigkeit. In der Lehre von der Eitelkeit der Welt fand Gryphius Kraft für das unerschrockene Ausharren im ideologischen und politischen Kampf. In ihr fand er Rückhalt für seine Überzeugungstreue und seine Ausdauer im Ertragen der schweren persönlichen Schicksalschläge und Widerwärtigkeiten.

*Lissaer Sonette*                                    .

Andreas Gryphius hat am höchsten seine Tragödien eingeschätzt. Am lebensfähigsten aber erwies sich ein Teil seiner Lyrik. Der Dichter schrieb Sonette, pindarische Oden, Oden und Lieder, Gedichte und Epigramme. Ein großer Teil seines lyrischen Schaffens ist Gelegenheitsdichtung.

Die ersten deutschen Sonette verfaßte Gryphius 1636, also schon in seinem zwanzigsten Lebensjahr. Ein Jahr später gab er bei Wigand Funck in Lissa in Polen eine deutsche Gedichtsammlung heraus, die 30 Sonette, eine Alexandrinerwidmung, ein Beschlußsonett und je ein lateinisches und deutsches Gedicht auf den Tod seiner Stiefmutter enthält. Schon in dieser ersten Sammlung, den sogenannten Lissaer Sonetten, erschienen einige seiner berühmtesten Sonette, die wir fast in jeder bedeutenderen Anthologie deutscher Lyrik finden. Es sind das Vanitas-Sonett, die Übersetzung des Kreuzigungsgedichtes von Sarbiewski und die *Trawrklage des verwüsteten Deutschlandes.*

Die Lissaer Sonette wurden nach einem Zahlenprinzip komponiert. Die Zahl war für den mittelalterlichen Menschen das Symbol der göttlichen Ordnung. Diese göttliche Ordnung versucht – laut damaligen Ansichten – die Hölle zu stören und in ein teuflisches Chaos zu verwandeln. Gegen diese zerstörende Macht des Chaos kämpft der Mensch.

Der mittelalterliche Baumeister erforschte fleißig die Proportionen, die in Zahlenregeln als Familien- und Berufsgeheimnis vererbt wurden. Nach diesen geheimen Zahlen baute er die prächtigen gotischen Kirchen, die uns noch heute durch ihre Harmonie beglücken. Auch der Theologe war von den Zahlen, die in der Bibel und vor allem in der Offenbarung Johannis eine so wichtige Rolle spielen, fasziniert, versuchte sie zu deuten und in seine Werke einzuführen, um so den göttlichen Schöpfungsprozeß nachzuahmen und ihnen tiefere Bedeutung zu verleihen.

Auch in der deutschen Dichtung des Mittelalters spielt die Zahl manchmal – ich möchte nur an die Ausführungen von Helmut de Boor erinnern – eine wichtige Rolle. Dies gilt vor allem für das religiöse Gedicht. In der Tradition der religiösen Literatur wuchs auch der Pastorensohn Andreas Gryphius auf. Deshalb ist es nicht verwunderlich, daß er die Komposition seiner ersten Sonettsammlung nicht nach der „ars poetica" der Renaissance vornahm, sondern nach einem Zahlenprinzip. Dadurch versuchte er, den Gedichten eine innere, göttliche Harmonie zu verleihen. Gleichzeitig konnte er bei seinen lutherischen Freunden und Gönnern auf Verständnis und Beifall hoffen.

Bei der Anwendung der Zahlenkomposition stützte man sich auf gewisse einfache Regeln, die zum Verschlüsseln und Entschlüsseln der Symbolik dienten. Am gebräuchlichsten war nach Siegfried Streller das Addieren der Buchstaben und Silben, das Berechnen der Quersummen und der symmetrische Bau der Texte.[12]

Der Zahlenkomposition bediente sich Gryphius schon, als er die Herodesepen entwarf.[13] Dort war die Hauptgliederungszahl die 7. (Später parodiert Gryphius die Zahlensymbolik in dem Ausspruch: „Septenarius est numerus mysticus".) Auf der 7 fußt auch das Kompositionsprinzip der Lissaer Sonette, wovon das Titelbild der Sammlung zeugt. Es enthält nur drei Worte. Die üblichen Angaben über Drucker, Druckart und Erscheinungsjahr fehlen. Der merkwürdige Titel lautet:

ANDREAE
GRYPHII
SONNETE

Alle drei Worte auf dem Titelblatt zählen je sieben Buchstaben, beziehungsweise je drei Silben. 7 und 3 sind zwei sehr wichtige Zahlen in der Offenbarung Johannis. Nach den Regeln der Zahlenkomposition addieren wir die Zahl der Silben und der Buchstaben auf dem Titelblatt und erhalten die Summe 30. 30 aber ist die Zahl der Sonette, ohne das Anfangs- und Schlußgedicht. Die Anfangsalexandriner und das Beschlußsonett zählen wiederum 30 Verse. Wenn wir vom Inhalt der Sonette ausgehen, können wir die ganze Sammlung so wie die Herodesepen in sieben Gruppen einteilen. Die erste Gruppe zählt 5, die folgenden 4, 3, 6, 3, 4, 5 Sonette. Wir erhalten so ein symmetrisches Bild, das sich dann in eine Konfiguration $2 \times 6 + 6 + 6 \times 2$, in der die 6 dominiert, umwandeln läßt. Die 6 symbolisiert bei Gryphius die Vanitas. Wenn also die 6 in der Sammlung die dominierende Zahl ist, müßte das sechste Sonett das Hauptsonett sein und den Leitgedanken der ganzen Sammlung enthalten. Unsere Vermutung bestätigt der Titel des Sonetts, der von der Vergänglichkeit handelt. Darüber hinaus ist diese Überschrift die einzige in der ganzen Sammlung, die mit großen Buchstaben gedruckt wurde. Sie lautet: VANITAS, VANITATUM ET OMNIA VANITAS. Auch die Zahl der Buchstaben dieses Titels ergibt 30, also die Zahl der Sonette in dem Band. So wurde der Kreis der Kombination geschlossen, den wir hier in einer gekürzten Form vorgeführt haben.[14]

Dank der Entdeckung der Kompositionsstruktur konnte man außer der durch den Verfasser angestrebten Hauptidee der Sammlung die Adressaten der fünften Gruppe der Sonette bestimmen und die Kompositionsänderung, die in den späteren Ausgaben getroffen wurde, erklären.[15]

Gryphius befolgt in seiner ersten Sonettsammlung genau die Anweisungen, die er in Opitzens *Buch von der deutschen Poeterey* über das Sonett vorfand. Alle Lissaer Sonette sind in Alexandrinern geschrieben, und auch die Reimstellung in den Quartetten, die Opitz als a b b a a b b a festgelegt hatte, wurde von Gryphius eingehalten. Die Reime in den Terzetten dagegen dürfen sich nach Opitz „schräncken wie sie wollen; doch ist am bräuchlichsten, daß der neunde vnd zehende [Vers] einen reim machen, der eilffte vnd viertzehende auch einen, vnd der zwölffte und dreizehende wieder einen".[16] Gryphius befolgt auch diesen Hinweis und alle seine Sonette weisen in den Terzetten das empfohlene Schema c c d  e e d  auf. Er bedient sich ausschließlich der Jamben und achtet darauf, daß die a- und d-Reime weiblich sind, die anderen dagegen männlich. Somit ergibt sich für die Lissaer Sammlung das Sonettschema a‿b b a‿ a‿b b a‿ c c d‿ e e d‿, das weiterhin als A A$_1$ bezeichnet wird.

Gryphius will in seiner ersten Gedichtsammlung Zeugnis geben von der Verderbnis der Zeit. Er tritt als ein mutiger Wahrheitsverkünder auf, denn es „muß der Wahrheit nie, Lufft, Red vnd Freyheit fehlen."[17] Deshalb wendet er sich in seinem ersten Sonett nicht wie üblich an die Musen, sondern fleht den Heiligen Geist um Erleuchtung an. Die Verse klingen ernst und feierlich, sie werden zum Gebet.

Die folgenden vier Gedichte der ersten Gruppe handeln von der Gefangennahme Christi, seiner Kreuzigung, seinem Leichnam und von der Bestrafung der Sünder und klingen alle mit dem Gedanken an die Erlösung aus, der schon im ersten Sonett angedeutet wurde. Die Sonette III, IV und V sind Übersetzungen lateinischer Gedichte. Mit dem Gedicht von Bidermann *Vber des Herren Jesu todten Leichnamb* verfuhr Gryphius sehr frei. Das zweite Gedicht von Bauhuis *Gedencket an Loths Weib* gibt die Vorlage ziemlich treu wieder. Mit der Übersetzung des Kreuzigungssonetts von Sarbiewski gelingt Gryphius eine dichterische Höchstleistung. Er trifft die wünschenswerte Mitte zwischen wörtlicher Wiedergabe und freier Umschreibung, so daß das Gedicht den Gehalt der Vorlage wiedergibt, gleichzeitig aber in der selbständigen Form und dem deutschen Stil zu einer neuen originalen Leistung wird. Der Dichter erhebt hier inmitten der feindlichen Mächte die feste Stimme des Bekenners. Ein starker, unregelmäßiger Rhythmus verrät seine Erregung, unterstreicht seine Entschlossenheit. Meisterhaft ist der Wechsel von dynamischem Bekenntnis zur ruhig-getragenen Bitte um Erlösung.

Die nächste Sonettgruppe befaßt sich mit dem Vergänglichkeitsgedanken. Sie beginnt mit dem bereits erwähnten Gedicht *Vanitas, Vanitatum, et Omnia Vanitas*. Da der Titel, wie schon gesagt wurde, der Leitsatz und das Kompositionsschema der ganzen Sammlung ist, darf man annehmen, daß auch dem Gehalt des Sonetts eine besondere Bedeutung zukommt. Mitten im Rasen des Krieges, selbst zum Augenzeugen der Vergänglichkeit geworden, erhebt der Dichter als Wahrheitsverkünder und Seher seine prophetische Stimme:

> Wo jtzt die Städte stehn so herrlich / hoch und fein
> Da wird in kurtzem gehn ein Hirt mit seinen Herden

Der Gedanke von der Vergänglichkeit alles Irdischen wird ausgebaut in einer Kette von antithetischen Halbversen. Sie klingen in der Existenzfrage „Solt denn die Wasserblaß, der leichte Mensch bestehn?" aus. Nach diesem, dem zehnten Vers, folgt der Sonetteinschnitt. In den letzten vier Zeilen zieht der Dichter aus Erlebtem und Durchdachtem die Folgerungen und erhebt Klage über die Nichtigkeit der Welt. „Der Klang des Satzes ist traurig: mit ‚Ach' hebt er an, als Frage klingt er aus, die Stimmlage ist tief, dunkel. Aber er endet doch mit einem an sich lieblichen Bild –, ‚eine Wiesenblum, die man nicht wiederfind't' – ... Das Irdische, das vergänglich ist und insofern ‚eitel', leuchtet doch einen Augenblick in Schönheit auf, die geliebt erscheint – aber das klingt nur ganz leicht an; ausgesprochen bewußt geworden ist es nirgends. Die neue Exempla-Häufung nennt in raschem Zusammentreffen lauter Dinge, die schnell vergehen und später nicht mehr zu finden sind".[18] Dies klingt hoffnungslos und pessimistisch. Gryphius sieht zwar „in dem was ewig ist" einen Ausweg aus der Sackgasse der Vanitas, doch die Menschen wollen ihn nicht gehen. Mit prophetischer Stimme mahnt Gryphius in dem Sonett die im Bruderkrieg verblutenden Zeitgenossen, leitet aus den angeführten Beispielen die Gesetzmäßigkeit der Vergänglichkeit ab, erhebt Klage und schließt mit einer Anklage.

In dem Gedicht werden verschiedene Möglichkeiten der Antithetik verwertet: zwischen Wort und Wort, Halbvers und Halbvers, zwischen Vers und Vers, Satzperiode und Satzperiode. Der Anfangs- und der Schlußvers stellen das Irdisch-Vergängliche dem Transzendent-Ewigen gegenüber und rahmen durch diese gedanklichen Extreme das Sonett gewissermaßen ein. Die formale Meisterschaft und die erschütternde, tief erlebte Wahrhaftigkeit entschieden über die künstlerische Lebensdauer der dichterischen Aussage des Gedichtes, in dem die Haupterfahrung von Gryphius' schwerer Jugend, das Vanitaserlebnis, einen vollkommenen Ausdruck fand.

Der Vergänglichkeitsgedanke wird auch in den Sonetten VII, VIII, IX variiert. In den drei weiteren Sonetten besingt Gryphius seine Familie. Diese Gruppe entspricht der symmetrischen Komposition nach drei Gedichten, die der Familie Schönborner gewidmet sind. Den Mittelteil der Sammlung bilden sechs Lobgedichte an Verwandte, Gönner und Bekannte. Die Sonette XXII bis XXV handeln von Liebe im weitesten Sinne des Wortes: von der Gattenliebe, der Freundschaft und der Sinnlichkeit.

Die letzte Gruppe der Sammlung eröffnet das bekannteste Gedicht von Gryphius, die *Trawrklage des verwüsteten Deutschlandes,* das dann in den späteren Ausgaben die Überschrift trägt: *Threnen des Vaterlandes, Anno 1636.* Die Ohnmacht des Menschen gegenüber dem Verhängnis des Krieges in seiner scheinbaren Unbegrenztheit gibt die Steigerung des Anfangsverses wieder: „Wir sind doch numehr gantz, ja mehr alß gantz vertorben". Die Bezeichnung „vertorben" betrifft nicht nur das Materielle, sondern auch das Geistige. Gryphius erlebt den Untergang seines Vaterlandes mit, was in dem „wir" ausgedrückt wird. Im schneller werdenden Rhythmus der Verse läßt der Dichter apokalyptische Bilder der Kriegsdrangsale vor unseren Augen vorüberziehen. Die Bilanz ist traurig: Eigentumsverlust, Sittenverfall, Kirchenzerstörung, Untergang weltlicher Macht, Jungfrauenschändung. Überall herrschen „Fewr, Pest, Mord vnd Todt". Das ununterbrochene Rasen der apokalyptischen Reiter wird anschaulich gemacht durch das „rint allzeit frisches Blutt".

Nach diesem Vers, mitten im ersten Terzett, folgt der Sonetteinschnitt. Der zweite Teil beginnt mit der ausdrucksstarken Bestimmung der Kriegsdauer:

Dreymal sind schon sechs Jahr als vnser Ströme Flutt
Von so viel Leichen schwer / sich langsam fortgedrungen.

Durch die Zerlegung in kleinere Zahlen, die schon jede für sich einen
langen Zeitabschnitt bedeuten, wird die Anschaulichkeit der Zeitbe-
stimmung gesteigert, die dann in Verbindung mit dem schaurig realistischen Bild noch an Stärke gewinnt, denn im Unglück dehnt sich die
Zeit ins Unermeßliche.

Es scheint, daß mit der Feststellung des totalen Unterganges alle
Möglichkeiten des Sonetts ausgeschöpft wurden. Nun aber erreicht der
Dichter durch die Gegenüberstellung des Geistigen und des Materiellen
eine eindrucksstarke Endpointe. Denn schlimmer als all die Kriegsnot
ist der Verlust des „Seelenschatzes", der sowohl durch Gewaltanwen-
dung als auch durch die Verderbnis der Zeit „gar vielen abgezwungen"
wurde. Der erst zwanzigjährige Dichter übt, wie schon vorher im Va-
nitassonett, auch hier eine scharfe Kritik an den Zeitverhältnissen.
Seine erschütternde Trauerklage über den Trümmern seines Vaterlandes wird zu einer tragischen Anklage. Der starke Rhythmus, die
Dynamik, der Wechsel von apokalyptischen Visionen und extremen
realistischen Bildern, die Kraft des sprachlichen Ausdrucks und die
tiefe Wahrhaftigkeit des innersten Erlebnisses zwingen uns zum äußer-
sten Ernstnehmen des Verhängnisses, das der Krieg über Deutschland
gebracht hat. Als Klage und Mahnung hat das Gedicht einen zeitlosen
Wert.

In den übrigen vier Sonetten der Gruppe geht Gryphius gegen Hab-
sucht, Falschheit, Hohn und Verleumdung vor. Sie haben einen sati-
risch-epigrammatischen Charakter.

Wir beschäftigten uns etwas länger mit den Lissaer Sonetten, weil
der Dichter schon hier fast die ganze Skala seiner Möglichkeiten auf
dem Gebiet des Sonetts vorführt und es mit einigen Gedichten zu nie
wieder überbotenen Höchstleistungen bringt.

*Erstes und zweites Sonettbuch, Sonette aus dem Nachlaß*

Im Jahre 1643, also in dem Jahr, in dem er in Leyden ein Kolleg
über Poetik hielt, gab Gryphius *Sonette. Das erste Buch* heraus, das
fünfzig Gedichte enthält. Er übernahm neunundzwanzig seiner Lissaer
Sonette in die Sammlung und verzichtete nur auf das zehnte Sonett,

in dem er seinen Geburtstag auf den 29. September vorverlegt, und auf das Beschlußsonett. Alle übernommenen Sonette aber hat er gründlich umgearbeitet, um den Erfordernissen der Prosodie genüge zu tun und somit seine theoretischen Erkenntnisse, zu denen er im Laufe der Zeit gekommen war, durch die dichterische Praxis zu belegen. Es wurde schon bei der allgemeinen Charakteristik von Gryphius' Dichtung auf die Ursachen der einzelnen Änderungen hingewiesen. Diese Erwägungen sind noch dadurch zu ergänzen, daß Gryphius den Einschnitt zwischen den einzelnen Teilen des Sonetts in B einzuführen bestrebt war. In B tritt auch, so wie schon etwas früher in den Festtagssonetten, neben den Alexandrinern der Vers commun auf. In den Sonetten vom Jahre 1643 wurde das ursprüngliche Sonettschema von Gryphius $AA_1$ bei der größten Zahl der Sonette beibehalten. Elf Gedichte weisen das Schema a b⌣b⌣a  a b⌣b⌣a  c⌣c⌣d  e⌣e⌣d auf, abgekürzt $BB_1$.[19] Das 20. Sonett wurde nach dem Schema $BA_1$ gedichtet und das zweite Sonett besitzt die seltene Terzettordnung c d⌣c  e d⌣e. Während also die Lissaer Sonette nur $AA_1$-Gedichte enthalten, wurden die Sonntagssonette in einem Fall (II. Sonett) nach dem Schema $BB_1$ verfaßt. In den Feiertagssonetten und im ersten Buch treten dagegen $AA_1$, $BB_1$, $BA_1$ und unregelmäßige Terzettbildungen auf. Im zweiten Sonettbuch der Ausgabe C finden wir 8 Schemata und in den Sonetten aus dem Nachlaß fast noch einmal so viel. Gryphius versuchte im Laufe der Zeit durch die Vielgestaltigkeit der Sonettschemata neue Ausdrucksmöglichkeiten für das Sonett zu schaffen. Die Abkehr von der strengen Sonettform erwies sich aber nur selten als künstlerisch ertragreich. Nach der Rückkehr in seine Heimat bevorzugte Gryphius andere Gattungen und schrieb Sonette selten und ohne in ihnen auch nur annähernd die alte künstlerische Reife zu erreichen.

Unter den 21 neuen Sonetten des ersten Buches befassen sich 16 mit der Vergänglichkeit, dem Tod und dem Jenseitsgedanken. Auch dann, wenn der Dichter, wie im Sonett XXXIX, die Freundschaft besingt, kommt er immer wieder auf diese Ideen zurück. Zwei Gedichte preisen die Tugend und drei sind der Liebe im weitesten Sinne des Wortes gewidmet. Aus der Zahlenkomposition der Lissaer Sonette bleibt im ersten Buch nichts mehr erhalten. Durch Einfügen von zwei Gedichten an den Anfang der Sammlung, durch die Vergrößerung der Sonettzahl auf 50, die Umstellung der Reihenfolge und die Änderung der Gedichtüberschriften wurde das alte Kompositionsprinzip bewußt zerstört.

Auch im zweiten Buch der Sonette, das Gryphius im Jahre 1646 in Straßburg zum Druck vorbereitete, beschäftigt sich der Dichter vor allem mit der Vanitas. Sechs Hochzeits- und Liebessonette, drei satirische und fünf andere Gelegenheitsgedichte ergänzen die Thematik des Buches. Zu den bekanntesten Sonetten der Sammlung zählen das Morgen-, Mittag-, Abend- und Mitternachtssonett, die sich zu einem Zyklus zusammmenschließen. Das Buch enthält noch eine Reihe anderer hervorragender Gedichte. Herrlich ist das Abschiedssonett *Als Er auß Rom geschieden* und fast in keiner Anthologie fehlt das kunstvolle Gedicht *Die Hölle*. Die a-Verse des Sonetts sind dreisilbige Trochäen (oder Amphimacer), die b- und d-Verse 13- bzw. 11silbige Jamben, die c- und e-Verse 22silbige Daktylen. Die Sonette *Der Tod, Das letzte Gerichte, Die Hölle* und *Ewige Frewde der Außerwehlten* bilden einen zweiten Zyklus, der das Buch, das mit dem Elias-Gedicht ausklingt, kunstvoll abschließt.

Nach 1646 veröffentlichte Gryphius keine neue Sammlung von Sonetten mehr. Er legte nur noch wiederholt das erste und zweite Buch und die Sonn- und Feiertagssonette auf und versäumte nicht, sie immer wieder zu glätten. Erst 1698 gab der Sohn des Dichters, Christian, ein neues Buch, das 71 Sonette enthielt, zusammen mit den anderen Werken des Dichters im Druck heraus. Die ersten siebzehn Gedichte sind religiösen Inhalts, acht Sonette besingen den Jahresschluß und -anfang und den Geburtstag des Dichters. In den Sonetten XXVI bis XXVIII werden Seesturm, Ungewitter und Stadtbrand geschildert. Neun sind den Geburts-, Sterbe- und Krankheitsfällen der Kinder des Dichters gewidmet. In den Gedichten XXXVIII bis XLV betrauert Gryphius den Tod von Familienmitgliedern und Bekannten, sechs weitere sind an seine Gönner gerichtet. Es folgen sechs Hochzeitssonette, drei Glückwunschsonette, zwei Sonette auf ein Jungfernspiel und sieben Liebessonette an Eugenie. Die Sammlung schließt mit einem satirischen Gedicht, in dem eine alte häßliche Frau als Mahnung für die lüsterne Jugend vorgeführt wird.

Die Entstehungszeit der Sonette aus dem Nachlaß läßt sich zum Teil genau bestimmen. Die meisten schrieb Gryphius schon nach der Abreise aus Straßburg. Die Sonette auf den Seesturm und auf den Brand von Freystadt verfaßte er während seiner Jugend. Auch die Eugenia-Sonette stammen noch aus seiner Schönborner und Leydener Zeit. Eugenia, die Gryphius in zahlreichen Liebesgedichten besingt,[20] kann mit großer Wahrscheinlichkeit mit Elisabeth Schönborner identifiziert werden, die den Glogauer 1637 während der Dichterkrönung mit einem selbstgewundenen Lorbeerkranz schmückte. Sie stand, als Gryphius sie in zwei Sonetten der Lissaer Sammlung feierte, erst im 14. Lebensjahr. In dem einen Gedicht preist der Dichter die Schönheit Elisabeths, in dem anderen erinnert er sie an die Vergänglichkeit alles Irdischen. Erst später wird der Ton der Eugenia-Gedichte leidenschaftlicher. Gryphius studiert in Leyden und steht mit der Geliebten in Briefverkehr. Als er todkrank darniederliegt, erinnert er sich ihrer:

Scheid ich Eugenie ohn ewren abschied kus?
Mein licht! jhr werdet mir die augen nicht zudrucken

Manheimer ist der Ansicht, daß die sieben Eugenia-Gedichte aus dem Nachlaß zusammengehören. In dem ersten Sonett schließt Gryphius nur aus dem Entfärben und Erröten der Wangen Eugenias auf Gegenliebe. Im nächsten Gedicht berichtet er von seiner jungen Liebe und der Gunst Eugenias. Das LXVI. Sonett der Sammlung spricht dann von der großen Sehnsucht, die ihn martert:

So fern / mein Licht / von euch / so fern von euch gerissen /
Theil ich die trübe Zeit in Schmertzen und Verdruß /
Und wünsch all Augenblick daß mir des Himmels Schluß
Erlaub euch bald voll Lust und unverletzt zu grüssen ...

In dem folgenden Gedicht beklagt er, daß er ohne sein „Licht" im fernen Leyden weilen muß. Er bittet schließlich den Himmel, die Geliebte mindestens im Traum sehen zu dürfen. Auch in dem LXVIII. Sonett leidet der Dichter unter seiner Einsamkeit und erinnert sich dabei an die Zeit, als er seine Geliebte küßte. Im nächsten Gedicht freut sich Gryphius über die Versicherung des Mädchens, daß sie beständig sein will. Er beschließt, ihrem Ruf in die Heimat zu folgen. Der Zyklus schließt mit einem Neujahrswunsch an Eugenie. Der Dichter übersendet ihr, wie es Sitte ist, keine Gaben, da er sich ihr „selbst zu eigen" gegeben. Er bittet nur Gott, daß er ihnen „Zweyen nur wolt einen Geist bescheren."

„Vielleicht sind diese Sonette", schreibt Manheimer, „ohne künstlerischen Bezug aufeinander entstanden und haben erst nach bewußter Zusammenstellung diese Entwicklung ergeben. Aber wie wundervoll wirkt es nun, wenn er am Schluß, wo ein Ende der räumlichen Trennung in Aussicht steht, vom ‚großen Wundermann' erbittet, was alle tiefere Liebe vergeblich ersehnen muß: ‚einen Geist', ein Ende auch der seelischen Trennung."[21] Die Rückkehr von Gryphius verzögerte sich aber, und erst nach 9 Jahren kam er am 25. Mai 1647 auf der Heimreise nach Stettin. Drei Tage früher fand in Schlesien die Hochzeit von Elisabeth Schönborner mit Hans Georg von Jonau statt.

Gryphius besang in seinen Gedichten auch andere Frauen: Livia, Hippolyta, Faustina, Callirhoe. Sie unterstützten ihn, standen ihm in Not und Unglück bei. Im Unterschied zu der erotischen Lyrik der Epoche sind die meisten Liebesgedichte von Gryphius ernster und ehrlicher.

## Sonn- und Feiertagssonette

In den Widmungsalexandrinern der Lissaer Sonette kündigt Gryphius neue Schaffenspläne an: „Ich will in kurtzem mich noch gar viel höher schwingen". Das ist wahrscheinlich eine Ankündigung der Gedichtsammlung, die 1639 in Leyden bei Elzevir gedruckt wurde und 65 Sonn- und 35 Feiertagssonette umfaßt. Es ist anzunehmen, daß Gryphius die Sonntagssonette noch in Schlesien niedergeschrieben hat. Die Feiertagssonette entstanden höchstwahrscheinlich schon in Holland. Dafür spricht vor allen Dingen der Sonettbau. Den Einschnitt nach dem zweiten Quartett finden wir in den Sonntagssonetten viel seltener als in den Feiertagssonetten.[22] Dafür aber, daß die Sonntagssonette als ein selbständiges Werk geplant waren, spricht auch die Tatsache, daß Gryphius ihnen alle wichtigsten Festtage eingegliedert hat. Sogar Feiertage wie das Fest der Heiligen Drei Könige, Gründonnerstag und Karfreitag fanden hier Eingang. Nur die zweitrangigen Feste wurden in den Festtagssonetten besungen.

Mit Ausnahme der drei Festtagssonette II, XIV und XXIII, die im Vers commun verfaßt wurden, sind alle anderen Alexandrinergedichte. Interessant ist, daß gerade diese drei Sonette den Einschnitt nach dem achten Vers aufweisen und somit eine neuere Form des Sonetts in der Entwicklung dieser Gattung bei Gryphius repräsentieren. Eine Sonderstellung nehmen die Feiertagssonette XXVII und XXVIII ein, da sie ein für diese Sammlung ungewöhnliches Quartettschema aufweisen: a b b a  c d d c.

Gryphius bereitete die *Sonn- und Feiertagssonette* in Straßburg 1646 wieder zum Druck vor und benutzte die Gelegenheit, sie gründlich umzuarbeiten. Das XXXVII. Sonntagssonett an Gott den Hl. Geist, das bereits als Sonett I in den Lissaer Sonetten erschien und dann später 1643 als Sonett I des ersten Buches der Sonette gedruckt wurde, hat Gryphius nun aus den Sonntagssonetten entfernen müssen, wodurch die Reihenfolge sich änderte und die Zahl der Sonntagssonette um eines kleiner wurde. Der Sammelband (C) erschien erst 1650 in Frankfurt am Main bei Johann Hütter, da Dietzel, der das Werk bis Seite 232 fertiggestellt hatte, „durch allerhand Widerwärtigkeiten und Processe" verhindert wurde, den Druck zum Abschluß zu bringen. Das Werk von Gryphius bricht mit dem Titel des LIX. Sonntagssonetts ab und Hütter fügt dem Werk, um den Bogen zu füllen, 5 fremde Sonette an sowie die *Gedanken von der Ewigkeit* von Martin Opitz. Gegen diese Verstümmelung und Fälschung seines Werkes hat Gryphius im Nachwort zu den Ausgaben seiner Dichtungen von 1657 und 1663 protestiert. Somit kennen wir also nur 58 Sonntagssonette aus der Ausgabe C des Jahres 1650. Die übrigen 6 Sonntagssonette und die Feiertagssonette wurden aus Gründen der Verlagsänderung damals nicht mitgedruckt. Die Umarbeitung, die die Sonntagssonette erfahren haben, ist sehr weitreichend. Sie betrifft nicht nur metrische, stilistische und sprachliche Änderungen, sondern auch den Einschnitt nach dem zweiten Quartett, der in der Ausgabe A noch in 24 Fällen fehlte bzw. an einer anderen Stelle auftrat.

Der erste Gedichtband, der unter der Aufsicht des Dichters 1657 erschien, bringt die *Sonn- und Feiertagssonette* unverstümmelt in der neuen Fassung. In der Ausgabe D und E enthalten die Sonntagssonette 64 Gedichte und die Feiertagssonette 36. Das Beschlußsonett der Ausgabe A, das dort als Nr. XXXV gedruckt wurde, erschien in einer vollkommen neuen Fassung als Nr. XXXVI, und ein neues Gedicht *Pocht auf euer Gold* erhielt in D die Nr. XXXV.

Zu Lebzeiten von Gryphius wurden seine *Sonn- und Feiertagssonette* zweimal unrechtmäßig nachgedruckt, und zwar im Jahre 1649 durch Johann Reußner in Königsberg und 1660 in Gotha. Beide Ausgaben stützten sich auf den Text von A und besitzen keine Widmungen.

Die Sonette haben die Perikopen der Evangelien als Grundlage, nur das Festtagssonett XXXIV geht von einem Episteltext aus. Gryphius versucht, die Texte zu deuten. Er verbindet aber auch die Vorstellung

# ANDREÆ GRYPHII

# Sonnette.

## Das Vierdte Buch.

### Vber die Fest-Tage.

*Titel aus der ersten Gesamtausgabe der Sonette von 1657*

aus den Evangelien mit seinem Schicksal und formt sie gern ins Subjektive um. „Er projiziert sein eigenes schmerzvolles Leiden an seiner Zeit in die überlieferte Glaubensvorstellung vom Martyrium Christi. Das macht seine *Sonn- und Feiertagssonette* zu leidenschaftlich bewegter, großer Dichtung und unterscheidet sie von allem Kirchlich-Konventionellen."[23]

Die biblischen Texte werden ihm zum Anlaß, die menschliche Not seiner Zeit in leidenschaftlichen, erschütternden Bildern von Krieg, Mord, Plünderung, Brand und Pest darzustellen. Seine Verse ergreifen durch ihre Wucht, künstlerische Kühnheit und die Großartigkeit der Sprache. Manchmal führt der Dichter in ihnen ein leidenschaftliches Zwiegespräch mit Gott. Er kann nicht verstehen, wie der Allmächtige das Leid auf Erden zulassen kann und fordert ihn auf, in das Weltgeschehen einzugreifen. „Auff! Auff wach auff Herr Christ ... wo hast du hin verschoben was deine Treu versprach? hilff ehr der Kahn sich trenn't ..."

Nicht uninteressant sind auch die beiden Beschlußsonette. Der Dichter weist in ihnen noch einmal auf die grauenvolle Zeitsituation hin, in der er sie „umbringt mitt höchster angst" schuf. Gegen dieses Leid kämpfte er mit seinen Versen an: „Mir zwang die scharffe noth, die federn in die faust." Der Dichter ist überzeugt, daß sein Werk trotz der Anfeindungen und Verfolgungen weiterleben wird. Denn „was ihr unterdruckt, wirdt wen ihr todt seidt leben." Im zweiten Schlußgedicht variiert er nocheinmal diese Gedanken, um dann den Leser um Nachsicht für seine Jugenddichtungen zu bitten:

> Tritt Leser nicht zu hart auff Blumen Erstes Mertzen /
> Hier donnert / ich bekenn / mein rauer Abas nicht /
> Nicht Leo / der die Seel' auff dem Altar außbricht /
> Der Märtrer Helden-Muth ist anders wo zu lesen . . .[24]

## Oden

Im Jahre 1643 gab Gryphius das erste Buch seiner Oden heraus, dem später noch drei weitere folgten. Neben sogenannten gemeinen Oden enthalten sie eine Reihe pindarischer Oden. Die deutschen Dichter stützten sich weder auf Pindar noch Horaz, sondern ahmten das Beispiel Ronsards nach, der seine Odensammlung mit 14 pindarischen Oden eröffnete. Es sind alles Lobgedichte an hohe Persönlichkeiten.

In dem *Buch von der Deutschen Poeterey* von Martin Opitz lesen wir: „In den Pindarischen Oden, im fall es jemanden sich daran zue machen geliebet, ist die Strophe frei, vnd mag ich so viel Verse vnd reimen darzue nehmen als ich will, sie auch nach meinem Gefallen einteilen und schränken: Anti Strophe aber muß auff die strophe sehen, vnd keine andere ordnung der reimen machen: epodos ist wiederum vngebunden. Wan wir dann mehr strophen tichten wollten, mussen wir den ersten in allem nachfolgen . . ." Opitz selbst gibt in seiner Poetik zwei Beispiele, die dann von einer Unzahl deutscher Dichter mehrere Jahrzehnte hindurch in ihrem Schema nachgedichtet wurden. Bei ihm überwiegen vierhebige Jamben und Trochäen und paarig gereimte Verse. In den Epoden finden wir auch Alexandriner, den Vers commun, dreihebige und zweihebige Trochäen.

Weckherlin und Opitz beschränken sich in den pindarischen Oden auf enkomiastische Stoffe, Gryphius dagegen beschäftigt sich mit biblischer Thematik. In seinen vier Odenbüchern finden wir 12 pindarische Oden, im ersten 5, im zweiten 3, im dritten 4.[25] Außerdem weisen 6 Chöre aus seinen Tragödien den dreiteiligen Odenbau auf. Der Glogauer verstand es, sich von dem Schema Opitzens auch in formaler Hinsicht vorsichtig zu entfernen, und gestaltete seine Oden unruhiger und abwechslungsreicher. Bei Opitz haben die Strophen 12 bis 16 Verse, die Epoden 8 bis 12 Verse. Bei Gryphius ist die Spannweite größer, in den Strophen 8 bis 18, in den Epoden 6 bis 14 Verse. Nur die Dramenchöre weisen Strophen mit 4 bis 22 Versen auf. Die ersten pindarischen Oden von Gryphius sind ein- beziehungsweise zweisätzig, und nur im dritten Buch hat die erste Ode einen viersätzigen Bau. Seine Strophen und Epoden lassen sich meist in drei Abschnitte einteilen, die durch Reim, Rhythmus und Vers bestimmt werden. Gryphius bedient sich in den pindarischen Oden u. a. jambischer und trochäischer Vier- und Dreiheber, des Alexandriners und des Vers commun. Einige seiner Oden sind ganz in Jamben gedichtet, rein trochäische dagegen hat Gryphius nie geschrieben. In den Oden des zweiten Buches erweist sich der Dichter als ein Meister des Rhythmuswechsels, wobei die Trochäen die Aufgabe der Kontrastwirkung übernehmen. Deshalb setzt er gern die Epoden mit diesen Metren an, geht dann aber wieder zu Jamben über, um schließlich mit einem Trochäus zu enden. Diese Formexperimente verwirren uns manchmal, und zwar dann, wenn wir zu schnell von einem zum anderen Rhythmus getrieben werden. In manchen Oden wird durch die bewußte Unregelmäßigkeit der Verslänge und des Metrums auch die Rolle des Reims auf ein Minimum reduziert, so daß der flüchtige Hörer das Gedicht für gehobene Prosa halten kann. Nach dem strengen Sonett gelang es Gryphius, in seinen pindarischen Oden eine möglichst freie, lebendige Gedichtform zu schaffen, die im krassesten Gegensatz zu der oft eintönigen Alexandrinerpoesie seiner Zeitgenossen steht. Gleichzeitig aber spricht aus der Ode von Gryphius die Einmaligkeit seiner Persönlichkeit.

„Die nur vage bestimmten Formgrenzen der pindarischen Ode", schreibt Viëtor, „waren wie gemacht für seine so unbändige Inbrunst. Und ihre Dreigliederung ließ sich trefflich nutzen für die thematische Antithese, die – wenn auch nicht immer heiter gelöst – am Ende im Nachsatz sich irgendwie zusammenfand. Der ungestüme Atem dieses dramatischen Impulses ging prachtvoll ein in das bis dahin tote Gerüst der dreigliedrigen, sonst freien Kunstform."[26] Den einzelnen Phasen des Erlebnisses, das in der Ode zum Ausdruck kommt, entspricht ihre innere Bewegung.

In der ersten Ode des ersten Buches klagt Zion in der Strophe: Gott hat mich in meiner Not verlassen. In der Antistrophe stellt Gott fest: Eine Mutter verläßt ihr Kind nicht. Die Epode zieht daraus den Schluß: Gott verläßt sein Kind nicht. Überraschend ist im Satz und Gegensatz nach dem ersten jambischen Vers der Übergang zu Trochäen. Den unregelmäßigen Rhythmus in der Strophe beeinflußt auch noch die logische Betonung der Senkungen der Anfangssilben von Vers vier und elf. Die Silbenzahl der Verse schwankt zwischen sechs und zwölf. In der Epode sind die ersten sechs Verse Trochäen, die folgenden Jamben. Interessant ist auch die Reimstellung in dem trochäischen Teil: a b b c c a. Dadurch verliert der Reim an Eindringlichkeit und die Teilung der Epode wird noch unterstrichen. Von großem poetischen Reiz ist die Antistrophe, in der das Verhältnis der Mutter zu ihrem Kind geschildert wird. Gott wendet sich an Zion. „Durchsucht das weite landt..." Felder, Wälder, und alles, wo Menschen wohnen, „ob eine mutter sey, die auch ihr eigen kindt aus ihrem hertzen setz'". Die Mutterliebe ist ein Naturgesetz. Der Gedankengang wird in einer dynamischen Frage weiterentwickelt:

> Wo ist ein weib die ohn empfinden /
> Ihr eigen fleisch das sie gebohren /
> Des leibes zarte frucht verlohren? ...

Die Strophe findet in der Beschreibung des Verhaltens einer Mutter, wenn sich ihr Kind in Gefahr befindet, einen eindrucksvollen Abschluß:

> Sie zittert / sie erschrickt / als für der Todten-grufft.
> Jm faall der kleine sohn: Ach mutter / mutter / rufft.

Der Dichter ringt in seinen pindarischen Oden um die Gewißheit der Erlösung. Er sucht aus Not und Schmerz einen Ausweg. Die einzige Hoffnung ist Gott, der aber nicht immer eingreifen will, um das Leid zu mildern und die Feinde zu schlagen.

In der dritten Ode des dritten Buches irrt der Mensch einsam durch die Welt:

Vmbringt mit Schmertz vnd Pein
Bey dunckel-grauser Nacht
Nicht einer beut die Faust / nicht einer zeigt die Wege
Die müden Füsse sind verletzet /
Jn dem mein Elend mir nachsetzet
Auff dem gespitzter Stein-vnd Dörner vollen Stege
Woher? wo eil ich hin? ...

Es haben sich gegen ihn Freund und Feind verschworen (1. Satz). Auch Gott ist auf ihn erzürnt (1. Gegensatz). Er aber vertraut auf Gott (1. Abgesang). Im 2. Satz wird er durch seine Feinde, die sich wie hungrige Tiger und Löwen auf ihn stürzen, hart bedrängt. Er bittet Gott leidenschaftlich um Hilfe (2. Gegensatz).

Beweiß' anitzt / daß dich der Schlaff nicht überwunden!
Reiß deiner Wolcken Hüll in Stücken,
Schau auff die Mörder die mich drücken
Vnd zeige / daß dir noch die Hände nicht gebunden, ...

Die Ode schließt mit der Gewißheit der Rettung.

Alle pindarischen Oden von Gryphius befassen sich nur mit einem Problem im weiten Sinne des Wortes: mit dem Elend des menschlichen Daseins und dem Erlösungsgedanken, mit dem Verhältnis zwischen Mensch und Gott. Die Variationen über dieses Thema sind aber so farbenreich und künstlerisch kühn, daß die Gemeinsamkeit der Problematik der Forschung bisher kaum bewußt wurde. Gryphius macht meist Sätze aus der Bibel, vor allem aus den Psalmen, zum Ausgangspunkt seiner großartigen Paraphrasen. Es herrscht in ihnen nicht die Melodie sondern das Bild vor in einer reichen, einprägsamen Farbenskala mit eindrucksstarken Licht- und Schatteneffekten. Der Dichter treibt es zum Extrem, manchmal verliert er das Maß, und die Unzahl von Wiederholungen stumpft die Aufmerksamkeit des Lesers ab.

Die Odenbücher von Gryphius enthalten außer den pindarischen Oden zahlreiche andere Gedichte, die heute nur zum Teil den Namen Ode verdienen. Viele von ihnen sind mehrstrophige Lieder, die zum Singen bestimmt waren. Etliche sind dann auch in Kirchengesangbücher aufgenommen worden.[27] Zu den berühmtesten zählt das Gedicht *Vanitas! Vanitatum Vanitas!*

Die Herrlichkeit der Erden
muß rauch undt aschen werden.

Liedhaften Charakter haben auch die neunzehn *Tränen über das Leiden Jesu Christi*, die Gryphius in seine Gedichtsammlung von 1657 als das vierte Buch der Oden eingliederte. Sie wurden nach bekannten Melodien gesungen.

Andere Oden haben eine sehr freie, unregelmäßige Strophenbauart und eignen sich nicht für den Gesang. Gryphius gebrauchte innerhalb einer Ode verschiedene Versmaße und experimentierte auch mit dem Reim. In der VIII. Ode des ersten Buches finden wir die seltene Reimstellung a a b c c d d b und die V. Ode des zweiten Buches weist das Reimschema a b b c a c d d e f f g g e auf. Die vierte Ode zeichnet sich in den ersten zwei Versen durch ein sehr unregelmäßiges Metrum aus nach folgendem Schema: ᴗ-ᴗ-ᴗ-ᴗᴗ-ᴗ-. In der siebenten Ode des dritten Buches ist die Reimfolge a b c b c a, wobei die a-Verse zwölfsilbig sind und die sechs- beziehungsweise sieben-silbigen b- und c-Verse einrahmen. Das dritte Gedicht des zweiten Odenbuches ist ungereimt. In jeder seiner sechs Strophen enden die Verse mit denselben Worten: stehn, hin, dunst, Phantasie, Traum, Todt. Nur ihre Reihenfolge wird geändert. Das letzte Wort des letzten Verses der vorhergehenden Strophe wird als letztes Wort des ersten Verses der folgenden Strophe wiederholt und dann die Reihenfolge der anderen Schlußwörter wie im ersten Sonett eingehalten. Die zweite mehrsätzige Ode des zweiten Buches, die zehnte und die zwölfte Ode des dritten Odenbuches sind zweiteilig in Chor und Gegenchor gegliedert, wobei in dem zwölften Gedicht der Gegenchor den Charakter eines Refrains hat.

Das Thema dieser Gedichte ist vor allem die Vergänglichkeitsidee. Es ist erstaunlich, mit welch einer Reife Gryphius in seinen Oden experimentiert. Er sucht nach neuen Ausdrucksmitteln für seine Gedanken, erprobt die Möglichkeiten der deutschen Sprache, ohne in Spielerei zu verfallen oder gegen den guten Geschmack zu verstoßen.

*Epigramme*

Im Jahre 1643 veröffentlichte Gryphius ein Buch Epigramme, das hundert Gedichte enthält. Sie entstanden zum größten Teil während seines Hollandaufenthaltes. Einige jedoch hat er noch vor seiner Reise nach Westeuropa geschrieben.[28] Die Epigramme wurden nicht in die

A N D R E Æ  G R Y P H I I

## Thränen

über das Leiden

## JEsu Christi.

Ober seiner

# O D E N,

## Das Vierdte Buch.

*Titel aus der ersten Gesamtausgabe der Oden von 1657*

Ausgaben der Gedichte von Gryphius aufgenommen, und erst 1663 gab er drei Bücher deutscher Epigramme zusammen mit dem *Weicherstein* und den Lustspielen *Die Säug-Amme* und *Der schwärmende Schäffer* in Breslau heraus. 97 Gedichte des ersten Buches von 1643 gingen in einer sehr stark umgearbeiteten Fassung in die neue Ausgabe über, 8 ins erste, 89 ins zweite Buch. Im gleichen Jahr wurden die drei Epigrammbücher noch einmal in Jena gedruckt.

Nach Opitz ist das Epigramm eine kurze „Satyra . . . denn die kürtze ist seine eigenschafft, vnd die spitzfindigkeit gleichsam seine seele vnd gestalt; die sonderlich an den ende erscheinet, daß alle zeit anders als wir verhoffet hetten gefallen soll . . .“[29] Das Vorbild für die Epigrammdichter waren vor allem Martial und Owen. Auch Gryphius ist beiden verpflichtet. In seinen deutschen Epigrammen konnte man einige Nachbildungen der Gedichte Owens und ein Dutzend Nachahmungen der Epigramme Martials nachweisen.[30] Auch in dieser Gattung ist Gryphius ernster als seine Zeitgenossen. Den Epigrammen fehlt es an Humor, und ihre Satire ist oft mit Haßgefühlen vermischt. Ein großer Teil ist ebenso wie seine Sonette reine Gelegenheitsdichtung. Die Eigenleistung des Dichters darf man nicht unterschätzen.[31] Denn auch hier ging er eigene Wege und man fühlt, daß hinter der scharfen Pointierung und dem satirischen Inhalt ein Mensch steht, der mit großem Ernst nach den Schwächen und Fehlern seiner Zeit forscht und sie bekämpft. Bei der Bewertung der Epigramme von Gryphius, die ja bis an den heutigen Tag in vielen Anthologien der deutschen Lyrik vertreten sind, ist auch die Tatsache zu berücksichtigen, daß sie auf Logaus Werk einen gewissen Einfluß ausgeübt haben. Umgekehrt hat sich Gryphius in seiner Epigrammausgabe von 1663 aber auch von Logau inspirieren lassen. Er wendet sich jedoch in diesen Gedichten nicht – wie Logau – gegen einzelne Menschen, sondern gegen bestimmte Typen. Er beklagt poetischen Diebstahl, Intoleranz, geht gegen Verseschmiede und unmoralische Weibspersonen vor. Er stellt oft unglückliche Ehen und mannstolle Vetteln, Blutschänder und Hurer an den Pranger. Aber auch Galgen und Kirchhofsgreuel finden Eingang in diese Gedichte. Zu den berühmtesten Epigrammen gehört der Lobpreis auf Kopernikus und sein Werk.

Die religiösen Gedichte des ersten Epigrammbuches von 1663 besingen die Geburt Christi, seine Kindheit und Passion. Der Dichter versucht in ihnen die theologischen Probleme durch Antithesen und eine rhetorische Fragestellung anschaulich zu machen. Man fühlt aber, daß er in diesen Epigrammen, die fast jegliche subjektiven Töne vermissen lassen, seine alte lyrische Kraft verloren hat.

*Vermischte Gedichte*

Im Meßkatalog des Jahres 1659 befindet sich folgende Buchankündigung: „Andreae Gryphii übersetzte Kirchen-Gesänge aus den uhralten lateinischen hymnis nebenst absonderlichen Büchern nie zuvor ausgegebener Oden und Sonnette, Breslau, Johann Lischke." Die in der Notiz genannten Oden sind mit großer Wahrscheinlichkeit mit den *Geistlichen Liedern* zu identifizieren, die wir erst aus der Ausgabe von 1698 kennen. Es sind Morgen- und Abendseufzer, Buß- und Danklieder. Meistens fehlt ihnen die Unmittelbarkeit der Jugendlyrik von Gryphius, einige aber ergreifen durch ihre Einfachheit, die uns an die beste Tradition des Kirchenliedes erinnert.

Im Jahre 1660 gab Gryphius eine Sammlung von siebzehn deutschen Übersetzungen altlateinischer Hymnen und eine deutsche Psalm-Paraphrase heraus. Er widmete das Büchlein „Der unveränderten Augspurgischen Glaubens-Bekäntnüß zugethanen Kirchen JEsu CHristi, Jn dem Glogawischen Fürstenthum", denn es war für den Kirchengebrauch bestimmt. Es besteht kein Anlaß anzunehmen, daß die Dichtungen bereits während seiner Leydener Studienzeit entstanden sind, obwohl Gryphius das eine oder andere Gedicht schon damals entworfen haben könnte.[32] Er bemüht sich in dieser Nachdichtung, den Stil des Kirchenliedes zu treffen und dadurch seinen Glaubensgenossen alte, fromme, lateinische Lieder im deutschen Gewand und in einer schönen künstlerischen Form für die Kirchenandachten zugänglich zu machen. Zu dieser Zeit löst er spielend die formalen Aufgaben, und es gelingt ihm manchmal, Vollkommenes zu leisten. Wentzlaff-Eggebert preist die Hymne *Auf den Sontag in welchem die Christliche Kirche vor Alters die 70 Jährige Babilonische Gefängnüß betrachtet.* In ihr gelingt es dem Dichter, innerhalb der gleichen Strophen den Sinn der lateinischen Vorlage genau wiederzugeben und sie gleichzeitig dem Stil des protestantischen Kirchenliedes anzupassen. Die Hymne verliert in der Übersetzung nichts von ihrer Feierlichkeit und ihrer Melodik.

In anderen Gedichten verfährt Gryphius freier, stellt um und kürzt, weicht auch manchmal vom Text des Vorbildes ab. In einigen Liedern fühlt man, daß sie in Eile geschrieben wurden, und daß der Dichter nicht mehr die notwendige Muße gehabt hatte, um ihnen die endgültige künstlerische Form zu verleihen.

Gryphius übersetzte vor allem Texte, deren Gehalt ihn faszinierte und die seiner Wesensart besonders entsprachen. So ist es auch verständlich, daß er, den das Vanitasproblem und der Tod das ganze Leben hindurch interessierten, an Baldes Kirchhofsenthusiasmen Gefallen fand. Gryphius lernte diese Enthusiasmen wohl schon in Leyden kennen. Er übersetzte sie in Alexandrinern und gab sie zusammen mit seinen *Kirchhofsgedanken* heraus. Er löst sich von seinem Vorbild und anstatt des Sinnlich-Konkreten zieht er gern das Visionäre vor. Auch die Antithetik spielt hier eine größere Rolle. Wie in anderen Übersetzungen ist Gryphius bemüht, den Gesamteindruck zu steigern und eindringlicher zu werden.

In seinen *Kirchhofsgedanken,* die aus fünfzig achtzeiligen Strophen bestehen, lehnt sich der Dichter mehrmals an das Vorbild und die Gedankenwelt der Enthusiasmen an. Das Gedicht beginnt mit einer Reihe von Fragen, in denen nach der Rolle des Gottesackers geforscht wird. Die Antwort lautet: Der Friedhof ist eine Schule des Lebens. Vier Strophen beginnen mit dem Ausruf „O Schul", der den Rhythmus der Verse steigert. Die achte und die neunte Strophe bereiten die Vision vor. Der in tiefer Ruhe versunkene Friedhof beginnt sich langsam zu beleben. Die Totenbeine rasseln, die Särge springen auf, Körper bewegen sich. Der Dichter beschreibt das grauenhafte Bild der Skelette, um dann in höchster Ekstase den Verwesungsprozeß der Leichen zu schildern. Nach diesem Höhepunkt folgt eine Vanitas-Erwägung. Danach kommt noch einmal die Phantasie des Dichters in der Beschreibung des Jüngsten Gerichts zum Ausbruch. Die letzten drei Strophen, die einen lehrhaften Ausklang bringen, bilden zusammen mit der Einleitung die kunstvolle Einrahmung des Gedichtes, das zu den bekanntesten Leistungen von Gryphius gehört.

Unter den Gedichten, die Christian Gryphius aus dem Nachlaß seines Vaters veröffentlichte, befinden sich sechs Begräbnisgedichte und zwölf Hochzeitsgedichte, die zum Teil schon vorher als Einzeldrucke erschienen waren. Die Begräbnisgedichte konzentrieren sich auf den Gedanken von der Vergänglichkeit und sind nach dem üblichen, aus der lateinischen Tradition übernommenen Schema verfaßt. Nach der Klage über den Verlust wird viel Platz dem Lob des Verstorbenen eingeräumt, um schließlich mit dem Jenseitsgedanken der Familie Trost zu spenden.

Die Hochzeitsgedichte des Dichters atmen eine andere Luft als der Großteil seiner Lyrik. Sie müssen fröhlich sein und dürfen die Stimmung des Festes nicht stören. Gryphius bedient sich in den kurzen, epigrammhaften Gedichten eines festen Schemas. Er geht von der Jahreszeit aus und stellt sie den Hochzeitsfreuden gegenüber. Im Vergleich zu anderen Zeitprodukten dieser Gattung sind die Anspielungen auf die Hochzeitsnacht diskreter. Grundsätzlich fehlt aber der Hinweis auf die Nachkommenschaft nicht. Gryphius spielt gern mit dem Namen des Bräutigams: Häring, Specht oder Schaf. Manchmal vergleicht er Glück und Frieden mit dem Familienleben.

Die längeren Alexandrinergedichte sind unschematischer. In ihnen kann der Dichter wieder seine Rhetorik zu Worte kommen lassen. Er schreibt ein Hirtengespräch, in dem Fragen der Ehe diskutiert werden. In zwei Fällen nehmen seine Hochzeitsgedichte die Form von

Traumvisionen an. Ein andermal verfaßt er ein Hochzeitsgedicht in Versen oder bedient sich des Sonnenkreises als Kompositionsprinzip. Er wendet sich gern unmittelbar an den Bräutigam mit der Anrede „Hochwerter Freund", „Mein Freund", „Treuer Freund". Obwohl alle Hochzeitsgedichte den fröhlichen Ton beibehalten, versäumt es Gryphius nicht, die schweren Kriegsereignisse und Heimsuchungen, denen man ausgesetzt war, zu erwähnen. Im zwölften Gedicht verfällt er sogar in die Stimmung seiner *Kirchhofsgedanken,* um dann mit dem Bild von Orpheus und Eurydice den Übergang zu einer fröhlicheren Gemütsverfassung zu schaffen. Es ist eine seltsame Mischung von Hirtenszenerie, Vanitasgedanken und Werktagsstimmung. In zwei vierhebigen Hochzeitsscherzgedichten beweist Gryphius, daß er imstande ist, auch frische, muntere, sehr lebendige und fröhliche Verse zu schreiben, die uns an seine besten Lustspiele erinnern.[33] Hier begegnen wir einem ganz anderen Gryphius. Der gewaltige Rhythmus seiner Oden wird durch die leichtflüssige Melodie des Vierhebers ersetzt.

Von Gryphius kennen wir auch mehrere längere Gelegenheitsgedichte, die meistens in Alexandrinern verfaßt wurden. Nicht ungeschickt ist das Gedicht auf den Tod seiner ersten Stiefmutter.[34] Aus biographischen Gründen wecken die beiden Strafgedichte unsere Aufmerksamkeit.[35] Interessant ist die Entstehungsgeschichte des *Weichersteins.* Aus dem Nachlaß gab die Witwe des Dichters eine Umarbeitung der *Herzen-Seuffzer* von Josua Stegmann heraus.[36] All diese Gedichte erreichen aber nicht das künstlerische Niveau seiner besten Sonette und Oden, die zu den Schätzen deutscher Lyrik zählen und denen Gryphius zum großen Teil seinen dichterischen Ruhm verdankt.

# TRAUERSPIELE

Wenden wir uns nun der Tragödie zu, die, obwohl sie nur eine bescheidene Schul- und Wanderbühnenlaufbahn aufweisen kann, immer viel Beachtung gefunden hat. Selbst Richard Newald behandelt in seiner Literaturgeschichte die Tragödien auf mehreren Seiten, die Sonette dagegen erwähnt er – ohne ihnen gerecht zu werden – nur in drei Sätzen. In der Geschichte der Gryphiusforschung hat man den fremden Einflüssen viel Aufmerksamkeit gewidmet: Vondel und der holländischen Bühne, dem Jesuitendrama und der Märtyrertragödie, dem klassizistischen französischen Drama mit der strengen Beachtung der fünf Akte, Sophokles und Seneca, den englischen Komödianten und nicht zuletzt der Opitz'schen Theorie und Praxis. Diese Untersuchungen, auf die ich später noch zurückkommen werde, führten zu interessanten, aber einseitigen Ergebnissen. Die Forscher wiesen auf die mannigfaltigen Vorbilder von Gryphius hin, die ihn u. a. in bezug auf die Stoffwahl, das tragische Prinzip, die Anwendung von Prolog und Epilog, die Einteilung seiner Tragödien in Akte und Szenen und die Greuel- und Beschwörungsszenen beeinflußten.

Es entbrannte auch eine Diskussion über die Frage, ob Gryphius Märtyrertragödien oder kosmische Spiele, Vergänglichkeitsdramen oder Schicksalstragödien geschrieben habe, und ob seine Weltanschauung pessimistisch oder optimistisch gewesen sei. Der Hauptgedanke, den er in seinen Tragödien an verschiedenen Stoffen demonstrieren wollte, war, ebenso wie vorher schon in der Lyrik, die Vanitasidee. In der Vorrede zum *Leo Armenius* sagt der Dichter selbst, daß er „die Vergänglichkeit menschlicher Sachen in gegenwärtigen und etlich folgenden Trauerspielen vorzustellen" bestrebt sein wird.

*Leo Armenius*

Das erste Trauerspiel von Gryphius, *Leo Armenius*, das er 1646 in Straßburg abschloß, ist vom heutigen Standpunkt aus gesehen zugleich sein bestes. Der *Papinian* faszinierte vielleicht die Zeitgenossen durch seine Problematik, *Cardenio und Celinde* die Forscher durch eine modernere Fragestellung, keines von ihnen besitzt jedoch eine so durchdachte, logische Komposition, soviel dramatische Spannung, und in keinem ist es Gryphius gelungen, einen solchen Grad von Harmonie zwischen Gehalt und Form zu erreichen wie im *Leo Armenius*.[1] Den hohen künstlerischen Wert dieser Tragödie hat schon Lunding klar erkannt, der sie „nicht nur das erste, sondern auch das schönste, tiefste, reinste Schicksalsdrama der deutschen Literatur" nennt.[2] Er gebraucht die Bezeichnung Schicksalsdrama aber nicht in ihrer üblichen Bedeutung, sie ist deshalb irreführend.

Für die Interpretation bietet der *Leo Armenius* große Schwierigkeiten. Walter Mawick sieht den eigentlichen Helden des Stückes in Michael Balbus, der „typische Züge einer liberalistischen Staatsidee" einwandfrei aufzeigt. „Michael kritisiert", schreibt Mawick weiter, „das Intriganten- und Spitzelwesen am kaiserlichen Hofe. Er will freies Wort des freien Mannes, selbst vor dem Monarchen".[3] In diesem Zusammenhang behandelt Mawick auch die Lehre vom Tyrannenmord. Die Verschwörer identifizieren sich mit dem „Willen des ganzen Volkes", und daraus schöpfen sie ihr Recht, Leo Armenius gewaltsam des Thrones zu berauben. Henri Plard dagegen ist der Ansicht, daß die Tragödie den Mord an Leo verdammt, da das oberste Gesetz die Heiligkeit der königlichen Macht ist.[4] Er versucht den Gegensatz zu lösen, den er in der Frage formuliert: „Wie konnte Leo zugleich Tyrann und Märtyrer sein?" und weist auf die Tyrannendefinition hin, die der ehemalige Mäzen von Gryphius, Georg Schönborner, in seinem *Politicorum libri septem* bringt.[5] Das Buch wurde im Jahre 1642 in Amsterdam bei Elzevir wahrscheinlich auf das Betreiben von Gryphius nach dem verbesserten Handexemplar des Autors neu verlegt. Nach Schönborner gibt es zwei Arten von Tyrannen, den Herrscher, der auf eine legitime Weise zur Macht kam und tyrannisch regiert, und eine zweite Art, den Tyrannen, der durch List oder Aufruhr die Krone gewonnen hat. Gegen den legitimen Tyrannen darf man nach Schönborner nur gewöhnliche, also rechtliche Mittel anwenden. Tyrannenmord ist in diesem Fall in jeglichen Situationen unentschuldbar, und wer ihn dennoch begeht, wird selbst zum Tyrannen des zweiten, unrechtmäßigen Typus. Plard glaubt, daß Leo Armenius, der seinen Vorgänger zwang, auf die kaiserliche Würde zu seinen Gunsten zu verzichten, ein legitimer Tyrann ist, da er durch die Armee gewählt wurde. Sein Tod war also der Tod eines Märtyrers.

Ich habe hier beispielhaft zwei extreme Meinungen angeführt, da sie für die Hauptrichtungen der *Leo Armenius*-Interpretationen im weiten Sinne des Wortes repräsentativ sind. Die Antwort auf die Frage, inwieweit sie zutreffen, soll eine kurze Besprechung der Tragödie erleichtern.

Der byzantinische Feldherr Leo Armenius, der im Jahre 813 den Kaiser Michael I. enttrohnte, fiel sieben Jahre später in der Heiligen Nacht selbst einer Verschwörung zum Opfer, die sein Feldherr Michael Balbus angezettelt hatte. Das Drama handelt von den verhängnisvollen Ereignissen, die zum Kaisermord führen. Es „beginnet den Mittag vor dem heiligen Christtage; wehret durch die Nacht, vnd endet sich vor aufgang der Sonnen."

Die Tragödie wird durch eine Szene der Verschwörung eröffnet. Die Verschwörer fluchen dem Tyrannen, der sich „im Blut der Untertanen wäscht . . ., der auf nichts entbrannt als auf Mord und Spott." Sie wenden sich gegen die Idee des Königtums von Gottes Gnaden. „Was ist ein Prinz?" fragt einer von ihnen, „ein Mensch, und ich so gut als er! Was mehr noch! Wann nicht ich, wann nicht mein Degen wär, wo bliebe seine Kron? . . . Ein unverzagter Arm ists, der den Fürsten macht". Die Szene schließt mit dem Treueid der Verschwörer, die den Tod Leos beschließen. Im zweiten Auftritt plant Leo auf das Drängen seiner besorgten Räte die Beseitigung des Feldherrn Michael Balbus, des Anführers der Verschwörung. Durch diese antithetische Komposition: Tod dem Tyrannen! – Tod dem Verschwörer! – wird die Spannung noch gesteigert. Einer von den Vertrauten des Kaisers versucht, den Feldherrn von der Verschwörung abzubringen. Er warnt ihn vor den Gefahren des Anschlags, führt ihm aber auch eindrucksvoll das sorgenvolle Leben eines Herrschers vor Augen:

Wenn er zu Tische geht,
wird der gemischte Wein, der im Kristalle steht,

in Gall und Gift verkehrt. Alsbald der Tag erblichen,
kommt die beschwärzte Schar, das Heer der Angst geschlichen
und wacht in seinem Bett.

Aber Michael ist von seinem Vorsatz nicht mehr abzuhalten und weiß
Antwort zu geben: „Man schätzt die Zepter schwer, doch legt sie, der es
klagt, nicht ungezwungen hin".

Das hitzige Wortgefecht endet mit übermütigen Worten Michaels,
in denen seine Superbia den Höhepunkt erreicht. Er, der Mächtigste,
will Leo erschlagen. Daraufhin findet ein plötzlicher Fortuna-Wechsel
statt: Michael, der sich in seinem Hochmut selbst verraten hat, wird
gefangengenommen. Mit einer Kette von Ausrufen des Gefesselten, die
für den wuchtigen Stil von Gryphius typisch sind, findet der Akt einen
wirkungsvollen Abschluß. „Schleift! Würget! Dringt und schmeißt!
Schlagt! Bindet! Ich bin frei. Druckt! Martert! Renkt und reißt." Der
Chor der Höflinge preist in einer herrlichen pindarischen Ode die All-
gewalt der Sprache, die Glück oder Verderben bringen kann.[6]

Die zweite „Abhandlung" wird durch die eindrucksvolle Gruppenszene der Gerichtsverhandlung eröffnet. Laut dem Urteilsspruch soll
Michael den Flammentod erleiden. Er selbst verliert im Angesicht des
Todes viel von seinem Heroismus. Die Gattin Leos, Theodosia, die
den christlichen Standpunkt vertritt, fleht um das Leben des Verurteilten, erreicht aber nur, daß die Vollstreckung des Urteils verschoben
wird, damit in der Heiligen Nacht kein Blut fließt. Inzwischen wird
Michael zur Hinrichtungsstelle geführt. In einem dramatischen Monolog flucht er seinen Freunden, die ihn in seiner letzten Stunde verlassen
haben. Der Kaiser läßt aber die Hinrichtung bis nach dem Fest ver-
schieben und den Verschwörer unter stärkster Bewachung einkerkern.
Leo schließt die Szene mit einer Sentenz: „Besetzt den rawen stein
deß Kerckers vmb und vmb mit Hüttern auf das beste, Verräter kan
man nicht verwahren gar zu feste". Der Akt klingt mit einer der
schönsten Oden des Dichters auf die Vergänglichkeit aus.

Die nächste „Abhandlung" berichtet über das Geschehen während
der Nacht. Der Kaiser, der über das kummerreiche, gefahrvolle Leben
eines Herrschers klagt, schläft schließlich in einem Sessel ein und wird
im Traum vom Geist des Tharasius an seine Verbrechen erinnert. Leo
hat den Treueid gebrochen, Michael I. verjagt, die Kirche bedrängt,
hat unschuldiges Blut vergossen, Menschen verbannt, eingekerkert, ver-

stümmelt und entmannt. Aber die Stunde der Rache Gottes hat geschlagen: „Kein schloß, kein schild, kein schwerd, kein tempel, kein Altar schütz't, wenn Gott blitzen will!" Es wird ihm sein und seiner Familie Untergang vorausgesagt. Nach dem Erwachen kann der Kaiser das Angstgefühl nicht mehr loswerden, und von Angst und Unruhe gepeitscht, eilt er in den Kerker des gefangenen Feldherrn. Inzwischen klagen seine Vertrauten über die Verzögerung der Hinrichtung und schreiben die Schuld dafür den Priestern zu, die es verstanden haben, die Kaiserin zu ihrem Werkzeug zu machen:

> Ja, die Prinzessin bat, ein andrer trieb sie an.
> Warum doch will die Schar, die dem Altar geschworen,
> Stets in dem Rate sein? Sie hört durch euer Ohren,
> Sie schleußt durch euren Mund, sie kümmert sich um Feld,
> Um Läger, Reich und See, ja um die große Welt,
> Nur um die Kirche nicht! . . .

So hat die Priesterschaft mittelbar zum Tod des Kaisers beigetragen.

Leo kommt durch den Anblick des ruhig schlafenden Verurteilten, zu dessen Füßen sein Bewacher schlummert, erschüttert aus dem Kerker zurück und fürchtet, daß das Netz der Verschwörung ihm zum Verhängnis werden wird.

Als der Bewacher des Feldherrn vom Besuch des Kaisers erfährt, ist er sich der sicheren Strafe bewußt. Er wird nun zum Bundesgenossen Michaels und schickt durch einen Vertrauten Schreiben an die übrigen Verschwörer. Der Chor unterhält sich über Gespenster und Traumwarnung und kommt zu dem Schluß:

> Die der Himmel warnt durch Zeichen,
> Können kaum ja nicht entweichen;
> Auch viel, indem sie sich den Tod bemüht zu fliehen,
> Sieht man dem Tod entgegenziehen.

Im vierten Akt wird in einer faustischen Szene nach Vorbereitung von unheimlichen Akzessorien durch einen Zauberer in einer Kette von magischen Formeln der höllische Geist beschworen. Er verkündet den Untergang des Kaisers, im letzten Vers aber wird einem anwesenden Verschwörer der Tod als Strafe vorausgesagt. Da die Äußerung doppeldeutig ist, mißversteht er sie.[7]

Die Verschworenen, die sich während der Nacht insgeheim versammelt haben – dies ist die dritte prächtige Gruppenszene der Tragödie –, erfahren aus dem Schriftstück des Eingekerkerten, daß sie in höchster Gefahr schweben und beschließen, um sich zu retten, in Priestergewändern in die Burgkirche zu schleichen und dort während der feierlichen Andacht den Kaiser zu ermorden. Der Chor der Priester und Jungfrauen jubelt über die Geburt des Herrn. Diese Gegenüberstellung der freudig-frommen Stimmung und des heimtückischen Verbrechens gehört zu den beliebten Gryphius'schen Kontrasteffekten.

Der letzte Akt bringt den Bericht über die Katastrophe. Theodosia erwacht aus einem seherischen Traum, ist von den schlimmsten Ahnungen erfüllt und die Ankunft des obersten Priesters bestätigt ihr nur, was sie schon weiß. Er schildert den Verlauf des Anschlags, dann ergänzt ein Bote, der die Ermordung des Kaisers an Gottes Altar gesehen hat, seinen Bericht. Theodosia, die sich in ihrer Verzweiflung gegen Gott wendet, läßt sich von dem Priester, der den Tod des Kaisers zu rechtfertigen sucht, nicht trösten. Die Verschworenen jubeln inzwischen über den Tod des Tyrannen. Der aus dem Kerker befreite Feldherr Michael Balbus übernimmt nun die Herrschaft und verspricht den Verschwörern, durch sein Beispiel zu zeigen, „daß Freundschaft über Kron, Lieb über Freundschaft geht". Er läßt den Patriarchen rufen, um sich in der Kirche, wo soeben Blut geflossen ist, sofort krönen zu lassen. Der Geistliche wird hier wieder zum Werkzeug der Macht. Das Stück schließt mit der Huldigung der Verschworenen: „Der Kaiser herrsch und lebe!", aber wir fühlen, daß ein neuer Tyrann erstanden ist.

Der Held des Trauerspiels ist weder, wie manchmal behauptet wird, Leo Armenius noch Michael Balbus. Der Tyrann Leo ist kein Märtyrer. Sein Tod wird von dem Geist des Tharasius eindeutig als Rache Gottes für seine Verbrechen ausgelegt. Die begangenen Untaten muß er mit seinem Blut sühnen. Michael Balbus ist der zukünftige Tyrann und mit seiner Thronbesteigung könnte „das Trauerspiel eigentlich mit veränderten Personennamen von vorne beginnen ... Der Konflikt des abgelaufenen Trauerspiels, die Rivalität des Emporkömmlings und seines nachdrängenden, ehemals besten Vertrauten, ist von neuem gegeben."[8] Der Dichter verzichtet in der Tragödie bewußt auf den positiven Helden, da er in ihr den „sündigen" Mechanismus des Kampfes um Macht demonstrieren wollte. Nach den Ansichten der damaligen

Epoche wird die Geschichte „bewegt und vorangetrieben von den verworfenen Menschen . . ."⁹ Sie ist nämlich nicht nur „die Domäne der Vergänglichkeit sondern auch der Sünde."

Das Problem war in der Weltliteratur nicht neu. Alle Historien Shakespeares handeln vom Kampf um den Thron, und jede endet mit dem Tod des Monarchen und der neuen Krönung. Der Herrscher, der eine Reihe von Verbrechen begeht, erschlägt zuerst seine Feinde und dann die gestrigen Bundesgenossen. Er fällt schließlich, aber sein Nachfolger geht denselben Weg.¹⁰ Für Shakespeare und Gryphius ist das Symbol der Macht die Krone, und nur dann ist man König, wenn man die Krone seinem Vorgänger entreißen kann. Im Kampf um die Macht wiederholt sich der große tragische Mechanismus: der Weg vom Henker zum Opfer. Diesen Weg geht Richard III., diesen Weg geht Herodes in den lateinischen Epen von Gryphius, diesen Weg geht auch Leo Armenius. Michael Balbus und Leo Armenius demonstrieren uns die beiden Phasen des Kampfes um die Macht, ihre Eroberung und ihren Verlust.

Den Stoff für die Tragödie entnahm Gryphius zwei byzantinischen Geschichtsschreibern, Georgius Cedrenus und Johannes Zonaras. Er kannte aber auch das lateinische Trauerspiel *Leo Armenus* des Jesuiten Simon.¹¹ Simon widmet den religiösen Auseinandersetzungen viel Aufmerksamkeit, in Gryphius Tragödie dagegen spielen bei der Ermordung Leos religiöse Motive keine Rolle. Der harte, erbarmungslose Kampf um Macht hat in seinem Stück ausschließlich weltliche Beweggründe. Bei Simon ist Leo ein entschlossener, energischer Fürst. Bei Gryphius wird er zum ängstlichen, von der Last der Krone gebeugten Menschen. Die Unbegrenztheit seiner absoluten Königsgewalt steht in einem deutlichen Kontrast zu seiner menschlichen Schwäche. Auch er untersteht dem Hauptgesetz der Weltentwicklung, der Vergänglichkeit, dem sich sogar „die Götter dieser Erden" beugen müssen. „Nicht daß König Leo", schreibt Wolfgang Schieck, „von der Höhe seiner Macht herunterstürzt und getötet wird, bewegt den Dichter, sondern daß ein König heute noch von Pracht und Ehren umgeben, morgen schon getötet, verhöhnt, verschwunden, ein Nichts ist."¹² Denn „offt nur eine Nacht sey zwischen fall und höh."

Für den zeitgenössischen Leser und Zuschauer mußte diese Tragödie vom königlichen Totschlag, vom blutigen Kampf um den Thron, Analogien zu den Zeitereignissen wachrufen. Die Tragödie, niedergeschrieben zwei Jahre vor Beendigung des dreißigjährigen Völkermordens, in dem die Religion oft durch die Mächtigen mißbraucht wurde, mußte als eine Kritik der absolutistischen Machtverhältnisse aufgefaßt werden, denen nichts heilig war. Gryphius äußert sich selbst darüber im Vorwort zu seinem Werk: „Gleichwol muß ich nur erinnern daß, wie vnser Leo ein Griechischer Keyser, also auch viel seinem Leser auffweisen wird, was bey jetzt regierenden Fürsten, theils nicht gelobet, theils nicht gestattet wird."

Der Dichter nimmt in der Tragödie nicht unmittelbar Partei. Sowohl die Verschwörer als auch die Verteidiger des Kaisers versuchen ihr Verhalten zu motivieren, und jeder von ihnen glaubt, daß sein Verhalten das richtige sei. Die Verteidiger der alten Ordnung berufen sich auf den Satz vom Gottesgnadentum des Herrschers und klagen die Verschwörer der Untreue und Verräterei an. Die anderen gehen vom Gleichheitsprinzip aus und kämpfen um Freiheit und Recht gegen den gierigen Tyrannen.

Gryphius bedient sich in den Dramen einer ausdrucksvollen Antithetik. Gegensätze und Kontraste steigern die Spannung, Anrufe, Interjektionen, Imperative, Fragen bilden oft ganze Ketten, seine „Zentnerworte" ballen sich zu gewaltigen Reihen zusammen. Der mächtige Rhythmus und die glänzende feierliche Rhetorik sind aufs glücklichste auf das tragische Geschehen des Trauerspiels abgestimmt. Ein Vers wird oft auf mehrere Sprecher verteilt, um die Gefahr der Eintönigkeit, die der Alexandriner in sich birgt, zu vermeiden und den Dialog zu beleben. Dank der meisterhaften Verwendung der Antithetik und der Beherrschung der Kunst der Stimmungsmodulation kann Gryphius das in der ersten Szene angeschlagene Fortissimo bis zum Schlußakt durchhalten, ohne unser Interesse zu überfordern. Auch in den Chören gelingt es ihm, Gleichwertiges zu leisten, und die beiden ersten Reyen gehören zu dem Besten, was er je auf dem Gebiet der Ode geschrieben hat.

Gryphius gelang es nie wieder, das künstlerische Niveau des *Leo Armenius* zu erreichen. Seine späteren Tragödien besitzen nicht mehr die straffe dramatische Komposition des Erstlings.[13] Die Ursache dafür darf man allerdings nicht im Unvermögen des Dichters suchen, sondern im Wechsel seiner künstlerischen Absicht. Als er den *Leo Armenius* schrieb, dachte er vielleicht noch an eine Aufführung durch eine große Bühne. Seine späteren Werke dagegen wurden, wie Flemming bewies, mit dem Gedanken an die Erfordernisse einer Saal- oder Schulbühne veröffentlicht.[14] Zwar wissen wir, daß Gryphius seine *Catharina von Georgien* schon Ende 1647 in Stettin verfaßte, doch die Ausgabe des Buches erfolgte erst 1657, und es ist nicht ausgeschlossen, daß Gryphius vor der Drucklegung Änderungen vornahm.

## Catharina von Georgien

Die Tragödie beginnt mit einem Monolog der Ewigkeit. „Der Schauplatz liget voll Leichen, Bilder, Cronen, Zepter, Schwerdter" und dergleichen Emblemen der Vanitas. Die Vergänglichkeitsstimmung wird durch das Bühnenbild unterstrichen. Es ist wohl auch kein Zufall, daß die Ewigkeit in ihrem Monolog fast wörtlich mehrere Verse aus dem Vanitas-Sonett zitiert, das schon in den Lissaer Gedichten eindeutig die Hauptidee des Dichters repräsentiert.

Das Trauerspiel behandelt den letzten Tag im Leben der Königin von Georgien, Catharina, die seit Jahren von dem Perserherrscher Schach Abas gefangengehalten wird, der in wilder Leidenschaft für sie entbrannt ist. Als der Moskauer Zar ihre Freilassung fordert, und der Perserherrscher die Königin zu verlieren fürchtet, läßt Abas sie zwischen der Krone Persiens und dem Märtyrertod wählen. Catharina bleibt standhaft und lehnt den Heiratsantrag ab. Sie wird nun aufs grausamste gemartert und dann auf dem Scheiterhaufen verbrannt. Als der Schach das Urteil widerruft, ist es bereits zu spät und der Verdammte beklagt den Tod der Geliebten.

Die Vorgeschichte der Einkerkerung Catharinas wird in der Exposition der Tragödie zuerst durch zwei Gesandte aus Georgien angedeutet, dann von der Königin selbst erzählt, schließlich noch einmal durch einen der Gesandten aufgegriffen, der dann der Königin ausführlich über das weitere Schicksal Georgiens und seine Befreiung berichtet. In der Nacht hatte Catharina von ihrem Martyrium und ihrem Sieg über Abas geträumt. Anstatt der verlorenen Krone Georgiens hatte ein viel prächtigeres Kleinod ihr Haupt geschmückt. Sie weiß nicht, daß es die Märtyrerkrone war. Ihre Hofdame deutet den Traum als ein gutes Zeichen. Die freudige Nachricht, daß Catharinas Sohn Tamaras lebt und in der Heimat wieder an die Herrschaft gekommen ist, reißt die Königin aus tiefster Verzweiflung und sie bricht in Jubel aus. Jetzt hat sie Kraft gefaßt, dem Schach Widerstand zu leisten:

Mir ist als wenn ich Neugebohren
Ich fühle keiner Kummer Last.
Ich will diß Sorgenvolle Leben
für Reich und Sohn dir [Gott] willig geben.

In der letzten Szene des ersten Aktes bestürmt der Schach die stand-
hafte Königin mit seiner Liebeserklärung. Er bietet ihr den Thron
Persiens an, klagt, daß sie kein Mitleid kennt, preist ihre Schönheit.
Vergeblich fleht er und droht und scheidet aufs höchste erzürnt mit den
Worten: „Wir haben vor den Trotz wol Mittel an der Hand ... man
bricht wol Diamant."

Der erste Akt dieser Tragödie ist dramatisch gelungen. Die Handlung
entwickelt sich logisch, und die Gefahr, daß die Gesandten bei Catharina entdeckt werden, steigert die Spannung. Es stört nicht einmal der
lange epische Bericht über die Befreiung von Georgien. Dann aber beginnt sich der Dichter zu wiederholen. Dramatisch vollkommen miß-
lungen, zumindest aus der heutigen Perspektive, ist der dritte Akt, in
dem Catharinas ausführlicher Bericht über die Geschichte Georgiens
dreihundert Verse einnimmt, mehr als zwei Drittel des ganzen Aktes.
Ein großer Teil der Erzählung trägt überhaupt nichts zum Verständnis
der Handlung bei. Das Übrige ist kaum mehr als eine weitläufige Wie-
derholung und Ergänzung dessen, was bereits in der Exposition gesagt
wurde. Aber auch die weiteren Akte besitzen wenig Handlung. Nicht
einmal der Bericht vom Martyrium Catharinas kann uns für die Tragödie einnehmen. Die naturalistische Schilderung wirkt heute abstoßend.[15]

Oft sieht man in Catharina nur eine christliche Dulderin, eine Heilige,
die auch durch die ungeheuerlichsten Qualen von ihrer Beständigkeit
nicht abgebracht werden kann. Diese Auffassung ist sehr einseitig. Der
christliche Glaube ist nur ein Beweggrund für das Verhalten Catharinas.
Als Königin von Georgien haßt sie den Schach vor allem als Erzfeind
ihrer Volkes und nicht nur als Heiden und Anstifter des Gattenmordes.
Sie kennt ihn genau und kann ihm deshalb nicht trauen. Sie nimmt
auch sein Versprechen nicht ernst, denn sie weiß, daß seine Begierde nur
so lange bestehen wird, wie sie ihm Widerstand leistet. Aus ihrer Selbst-
schilderung erfahren wir, daß sie in der Vergangenheit durchaus keine
passive Dulderin war. Mit aller Kühle und Verstellungskunst hat sie
den Mörder ihres Mannes in die Falle gelockt, wo er dann erschlagen

wurde. Als sie vor der Hinrichtung von ihren Hofdamen Abschied nimmt, denkt sie nicht an Vergebung:

> Wir haben satt gelebt / und können nichts begehren;
> Daß uns die große Welt noch mächtig zu gewehren.
> Wir haben Kirch und Cron beschützt mit Rath und Schwerdt /
> Armenien beherscht. Der Persen Land verhert /
> Des Schwehers trüben Fall / des Libsten Blutt gerochen /
> Der blinden Libe Joch / des Todes Pfeil zubrochen.

Die automatische Übernahme der fünf Akte und die Beachtung der drei Einheiten auch in der Märtyrertragödie, in der die Hauptheldin keiner psychischen Entwicklung unterliegen darf und passiv bleibt, ist wohl der Grund dafür, daß das Stück zu sehr auseinandergezogen ist, undramatisch wirkt und unser Interesse nicht fesseln kann. Den Bruch zwischen Form und Inhalt versucht Gryphius später im *Papinian* durch die Einführung einer Nebenhandlung zu überbrücken.

Positiver fällt natürlich das Urteil aus, wenn wir uns in die Zeit des Dichters zurückversetzen und in Betracht ziehen, daß damals die Rhetorik ein Hauptziel der Schulbildung war. Gryphius schrieb seine Märtyrertragödien für die protestantische Schulbühne. Das Ziel dieser Theateraufführungen war nicht die Übung der Schüler in der Schauspielkunst, sondern vor allem in der Deklamation. Für diesen Zweck eigneten sich die Märtyrertragödien von Gryphius dank ihres berauschenden, rhetorisch-allegorischen Stils vorzüglich. Eine nicht geringere Bedeutung besaß aber auch die Problematik der Trauerspiele. Die verfolgten Protestanten Schlesiens, die nach dem dreißigjährigen Krieg von den Katholiken und dem Kaiser hart bedrängt wurden, rief der Dichter zum passiven Ausharren, zur Nachahmung des Beispiels Catharinas auf. Am Ende des Eingangsmonologs zu diesem Trauerspiel wendet sich die Ewigkeit an die Zuschauer mit der Aufforderung, sich ebenso zu verhalten:

> Verlacht mit ihr / was hir vergeht.
> Last so wie Sie das wehrte Blutt zu Pfand:
> Vnd lebt und sterbt getrost für Gott und Ehr und Land.

Gryphius versucht nicht, wie so oft behauptet wird, das Märtyrerdrama der Jesuiten nachzuahmen, sondern vielmehr ein ausdrucksstarkes protestantisches Gegenstück zu schaffen. Die Aufgabe, die er sich in der *Catharina* stellt, wird durch ihn selbst klar formuliert. Catharinas Leben und Leid ist für ihn ein „Beyspiel unaussprechlicher Beständigkeit". An diesem großen Beispiel aus der zeitgenössischen Geschichte will er die Überwindung der sündigen, auf das Diesseits gerichteten Welt exemplarisch vorführen, den „Sig der heiligen Libe über den Tod", also über die Vergänglichkeit darstellen. So wie der Titel der Tragödie *Catharina von Georgien oder Bewehrete Beständigkeit* den Einzelfall der allgemeinen Idee entgegenstellt, so können wir auch in der Tragödie zwei Ebenen unterscheiden. Parallel zur Catharina-Handlung wird im Eingangsmonolog der Ewigkeit und in den Reyen der Beständigkeitsgedanke behandelt und von Stufe zu Stufe weitergeführt bis zu seiner Verherrlichung in der Schlußszene des fünften Aktes, wo sich das Allgemeine mit dem Exemplarischen vereinigt.[16] Wichtig ist dabei, daß die Reyen nicht wie im *Leo Armenius* mit der Handlung verknüpft werden, sondern ihre Selbständigkeit bewahren. Diesen Reyentypus finden wir auch im *Carolus Stuardus*.

Den Mangel an dramatischer Handlung soll die Abfolge von antithetischem Geschehen ersetzen. Die treibende Macht sind nicht die Märtyrer, die nur passiv Widerstand leisten, sondern die Bösewichte, deren Handlungen affektbedingt sind. Die Affekte werden aber nicht so sehr mit theatralischen Mitteln dargestellt, sondern benannt; nicht das Innere, sondern das Äußere des seelischen Vorgangs wird auf der Szene vorgeführt. Statt der alltäglichen Ausdrücke setzt der Dichter poetischere, farbenreichere Benennungen, aus denen eine phantastische beziehungsreiche Welt aufgebaut wird. Sie wird zur Quelle des Vergnügens für den in den traditionellen allegorischen Beziehungen bewanderten Zeitgenossen, der die Bedeutung der vorgeführten Bilder leicht durchschaut.[17]

## Carolus Stuardus

Eine ähnliche Komposition wie die *Catharina von Georgien* weist die erste Fassung der Tragödie *Ermordete Majestät oder Carolus Stuardus* auf. Gryphius verfaßte sie bald nach der Hinrichtung des Königs Karl I. von Großbritannien, die am 30. Januar 1649 stattfand und in ganz Europa großes Aufsehen erregte. Das Trauerspiel beginnt erst, nachdem das Parlament das Todesurteil bereits gefällt hat. In der ersten Szene, die den Charakter eines Prologs hat, klagen die Geister Staffords, des Statthalters von Irland, und Lauds, des Erzbischofs von Canterbury, über Albion, das nun „des Fürsten heilig Blut" vergießen will. Die Reyen nach den vier Akten weisen alle Argumente ab, die den Königsmord rechtfertigen könnten. Es ist ein Verbrechen gegen Recht, Natur, Volk und Religion. Sie finden einen Ausklang in der Schlußszene, in der die „Rache" die grauenvolle Bestrafung Albions verkündet, „wo es sich reuend nicht in Tränen ganz verteuft." Parallel dazu verläuft die Handlung des Trauerspiels in den Akten. Sie ist sehr spärlich. Von Freunden und Feinden wird der Fall Carolus Stuardus' erwogen und kommentiert. Es wird von Versuchen fremder Mächte berichtet, den König zu retten, die aber nur die Hinrichtung beschleunigen. Karl bereitet sich auf den Tod vor, betet für seine Feinde und bittet Gott um Vergebung und Beistand. Die Hinrichtung wird auf der Szene vorgeführt.

Im Jahre 1658, neun Jahre nach der Vollstreckung des Todesurteils, starb einer der Hauptfeinde Karls, der Protektor der Republik, Cromwell. Zwei Jahre später wurde der Sohn des hingerichteten Königs auf den Thron von England gerufen. Die Tragödie von Gryphius gewann neue Aktualität. Der Dichter, der auf geschichtliche Treue großen Wert legte,[18] schrieb einen neuen ersten Akt über eine Verschwörung, die den König im letzten Augenblick noch hatte retten sollen, und von der Gryphius bei der Erstfassung des Carolus Stuardus nicht unterrichtet war.[19] So wurde der ursprüngliche erste Akt zum zweiten, aus dem zweiten und dritten machte er einen neuen dritten Akt. Da der englische Feldherr Fairfax in der neuen Fassung als Verschwörer auftritt, in der Urfassung dagegen zu den treibenden Kräften gehörte, die die Hinrichtung Karls anstrebten, hat Gryphius den Dialog zwischen ihm und Cromwell, in dem der Protektor Bedenken gegen die Hinrichtung vorbrachte, vertauscht. Der Dichter bereicherte den fünften Akt um eine schauerliche Vision, in der Poleh das grausige Ende Cromwells und der Königsmörder sowie die Krönung Karls II. schaut. In der Neufassung wirkt das Martyrium des Königs überzeugender durch den Umstand, daß er sich weigert, an der Verschwörung teilzunehmen. Erst die Möglichkeit der Wahl zwischen Leben und Tod läßt seinen Opfertod in vollem Glanze erscheinen. Diese Möglichkeit hatten auch Catharina und Papinian. Leo Armenius dagegen, der von der Rache Gottes getroffen wurde, befand sich in der entgegengesetzten Situation. Er mußte sterben und im letzten Augenblick noch flehte er seine Mörder um Gnade.

Auch mit den Reyen, die – ebenso wie in der *Catharina* – mit der Handlung nicht eng verbunden sind, konnte Gryphius automatisch verfahren, indem er den neuen Aufzügen die Reyen in der alten Folge anhing. Trotzdem wurde die ursprüngliche Gliederung des Stückes zerstört, da der Prolog der Tragödie nun in den zweiten Akt einging und somit seine alte Rolle auch den Reyen gegenüber verlor. Diese Änderung der Komposition in der Ausgabe von 1663 war nicht zufällig. Schon der 1659 herausgegebene *Papinian* wies gegenüber den früheren Tragödien von Gryphius bedeutende Unterschiede auf. Das Stück verlor an Strenge der Komposition, gewann aber an Handlung und theatralischer Wirksamkeit. Auch die Reyen sind hier stärker mit der Handlung verbunden.

So wie im *Papinian* ist auch im *Carolus Stuardus* ein neues Gestaltungsprinzip wirksam. Seit seiner Jugend schwebte Gryphius in seinem Schaffen immer wieder das Bild von der Nachfolge Christi vor. Schon in der ersten Fassung des *Carolus* findet es einen deutlichen Niederschlag. In der Ausgabe von 1663 aber wird es zum Hauptgestaltungsprinzip und gewinnt an Vollständigkeit. Es ist das Verdienst Albrecht Schönes, daß er die Carolus-Christus-Gleichung entdeckte und darüber hinaus nachwies, daß dem *Carolus Stuardus* das Gestaltungsprinzip zu Grunde liegt, die Leidensgeschichte des englischen Königs als „Post-Figuration der Passion Christi" darzustellen.[20]

„In vieler Hinsicht", schreibt Schöne, „wirkt Carolus undifferenzierter, zeigt das Spiel sich handlungsärmer und kunstloser als die anderen Dramen dieses Dichters. Im Sinne dessen aber, worum es Gryphius geht, erscheint Carolus weitaus vollkommener und konsequenter: eine vom Menschlichen gereinigte, hochgesteigerte Figur von seltsam fremder, archaischer Strenge und Starrheit. Denn ihr Bildungsgesetz verhindert die Ausweitung und Verflachung in eine ‚reiche, bunte Wirklichkeit' ebenso wie ins Allgemeine, Gängige, Einfühlbare . . . preßt sie . . . in jene unverrückbare Form, welche der Leidensbericht der Evangelisten prägte, und begabt sie so mit jener höchsten Beispielkraft, die nicht im Typischen, sondern im Außerordentlichen liegt."[21]

Auch die anderen Personen der Tragödie entsprechen dem Gestaltungsprinzip. Der Feldherr Fairfax gleicht dem Pilatus und seine Frau der Gemahlin des römischen Statthalters. Poleh tritt in die Rolle des

Judas. „Neben dem Carolus-Christus-Bilde wird ein Gegenbild errichtet, das ganz auf den gleichen Gestaltungsprinzipien beruht wie jenes . . . Die mit den Mitteln biblischer Übertragungsvorgänge arbeitende ‚Gegen-Interpretation' der Verschwörer, die den König in die Rolle des Barrabas zu setzen versucht, folgt hier dem Weg der Carolus-Christus-Gleichung bis in die Passionsgeschichte hinein."

## Papinianus

Im Jahre 1659, also in seinem zehnten Amtsjahr als Syndikus des Landes Glogau, schrieb Gryphius das Trauerspiel *Großmüttiger Rechts-Gelehrter / oder Sterbender Aemilius Paulus Papinianus*. Das Stück behandelt einen Stoff aus der Geschichte Roms. Papinian, ein berühmter Jurist und kluger Staatsmann, wurde im Jahre 212 auf Befehl des Kaisers Bassianus Caracalla hingerichtet, da er angeblich den Mord, den der Herrscher an seinem Stiefbruder Geta begangen hatte, nicht rechtfertigen wollte. Das Trauerspiel ist an äußerer und innerer Handlung bedeutend reicher als die anderen Märtyrertragödien des Dichters.

Im ersten Akt steht Papinianus noch auf der Höhe seiner Macht, aber er ist sich dessen bewußt, daß der Hochgestellte, wenn er nicht durch seine Superbia zu Fall kommt, von Neid und Verleumdung bedroht wird. Auch Papinian ist schweren Anfeindungen ausgesetzt, denn „ein Schatten-reicher Baum wird von dem Himmel troffen: ein Strauch steht unversehrt".

Zum Anlaß von Papinians Fall wird der Bruderzwist und der Tod Getas. Vom dramatischen Höhepunkt des Konfliktes zwischen den Brüdern erfahren wir nicht wie üblich aus einem epischen Bericht, sondern der Mord wird im zweiten Akt auf der Szene dargestellt. Gryphius führt in der Tragödie eine neue Figur ein, den Intriganten Laetus, der zum Tode Getas beiträgt. Das Netz, das er gesponnen hat, um selbst an die Macht zu kommen, wird ihm schließlich zum Verhängnis. Im dritten Akt wird ihm auf Befehl der rachsüchtigen Kaiserinmutter Julia auf offener Szene das Herz, der „Sitz der ärgsten Bosheit", aus dem Leibe gerissen. Aber auch der standhafte Papinian, der dem Recht treu bleibt und den Forderungen des Kaisers Bassianus nicht nachkommt, muß, nachdem zuerst sein Sohn hingerichtet worden ist, selbst sterben. Das blutige Stück schließt mit der Klage der Familie der Er-

ANDREÆ GRYPHII

Großmüttiger

# Rechts-Gelehrter/

Oder

Sterbender

# ÆMILIUS PAULUS

## PAPINIANUS.

Trauer-Spil.

Breßlaw/
Gedruckt durch Gottfried Gründern/
Baumannischen Factor.

*Titel der Erstausgabe des Trauerspiels von 1659*

mordeten und dem Reyen der vornehmen Frauen Roms und der Diener an den Leichen von Vater und Sohn. Plautia, die Gattin des Papinian, bricht in ihrem unendlichen Schmerz über dem Toten zusammen und wird mit den Hingerichteten von der Bühne getragen.

Die Wendung zum Theatralischen in dieser Tragödie ist wahrscheinlich auf die Aufführungen von wandernden Komödianten zurückzuführen, die 1658 eine Zeitlang in Schlesien spielten.[22] Der Vergleich ihrer Spielart mit dem dortigen Schultheater mußte in manch einer Hinsicht zugunsten der Gäste ausfallen.

So hat Gryphius im *Papinian* die theatralischen Effekte der Wanderbühne stärker verwertet, behielt aber gleichzeitig die Grundidee seines Märtyrerdramas bei. Auch in dieser Tragödie sind die treibenden

93

Mächte die sündigen Affekte. Papinian dagegen bleibt entsprechend der Märtyrerkonzeption des Dichters passiv. Es werden ihm drei verschiedene Möglichkeiten geboten, sein Leben zu retten: den Tod Getas zu rechtfertigen, die Wahl der „Läger" zum obersten Feldherrn anzunehmen und Bassianus zu stürzen oder die Kaiserin Julia zu ehelichen, die ihm Unterstützung verspricht. Er geht keinen dieser Wege. Oskar Nuglisch, der Verfasser einer Dissertation über Gryphius, stellt dazu – deutlich verärgert – die Frage: „Warum, so muß man fragen, werden solche Motive, die eine ungemeine Dramatik in sich schließen, ungenützt [in unserem Sinne!] liegen gelassen?"[23] Er weiß keine Antwort. Nach Gryphius Konzeption des standhaften Helden gab es aber keine andere Möglichkeit. Wenn Papinian zum Blutzeugen des Rechts werden sollte, durfte er selbst das Recht nicht verletzen oder verschweigen. Er mußte für die Idee der Gerechtigkeit offen und mutig eintreten. Die letzte Konsequenz dieser beispielhaften Haltung war sein Tod.

Der *Papinian* und die anderen Märtyrertragödien des Dichters entstanden auf dem Boden der Religionsverfolgungen in Schlesien. Sie sollten allen Bedrängten den damals einzig richtigen Weg weisen. Auch der *Papinian* war kein Aufruf zur Revolution, sondern zum passiven beharrlichen Widerstand. Man muß hier daran erinnern, daß nach dem dreißigjährigen Krieg in Schlesien sechshundert protestantische Kirchen geschlossen wurden und daß die Glaubensgenossen sich unentwegt bedroht fühlten. Die Haltung Papinians hatte natürlich einen ganz besonders beispielhaften Wert für den Landessyndikus Gryphius und für den Breslauer Stadtrat, dem das Werk des Dichters gewidmet ist, denn im Kampf gegen die absolutistischen Tendenzen Habsburgs war das Recht die einzig zugelassene, obwohl nicht immer wirksame Waffe.[24]

Die Hinrichtung des Heiden Papinian ist nicht nur ein innerweltliches Martyrium. Die Analogie zum Tod Christi ist hier sehr deutlich. Papinian will sterben als ein „rein Sün-opffer . . . vor Fürst, vor Rath, Volck und Gemein, vor Läger, Land und Reich." Es ist bezeichnend, daß das politische Testament des Rechtsgelehrten und Staatsmannes mit dem Beschluß endet: „Wer noch leib-eigen dient; sey los. Ich geb ihn frey." Dann stellt sich Papinian den Henkern. Auch diese letzte Tat des Römers hatte für die Zeitgenossen des Dichters einen exemplarischen Wert. In Schlesien hat man nämlich das Elend der Bauern nach dem dreißigjährigen Krieg dazu ausgenützt, um in vielen Ortschaften die Leibeigenschaft mit großer Energie neu einzuführen.

Der *Papinian* ist reich an Problemen und stellenweise sehr bühnen-wirksam. Leider ist der Dichter, der im Mannesalter manchmal dem geschraubten Zeitstil verfiel, in der Tragödie nicht immer imstande, seine Sprache den Situationen so anzupassen, daß die Wahrhaftigkeit der Handlung im weitesten Sinne des Wortes nicht darunter leiden würde.[25]

In den Märtyrertragödien von Gryphius wird der ungleiche Kampf zwischen Tyrann und Märtyrer immer wieder variiert. Catharina ist Schach Abas ausgeliefert, leistet ihm aber bis in den Tod Widerstand. Carolus, der sich in der Gewalt Cromwells befindet, geht entschlossen zum Schafott. Dasselbe wiederholt sich im *Papinian,* wo der Rechtsge-lehrte als Verteidiger und Wahrer der Gerechtigkeit physisch der Ty-rannengewalt unterliegen muß, aber den moralischen Sieg davonträgt. In *Cardenio und Celinde* dagegen wird nicht der Gegensatz zwischen Tyrannei und Recht dargestellt, sondern der Weg aus jugendlicher Ver-irrung zur inneren Ruhe und sittlichen Lebensführung, der Sieg der Tugend über die Affekte.

## Cardenio und Celinde

Gryphius berichtet in der Vorrede, daß er einmal seinen Freunden die Geschichte erzählt und sie dann auf deren Bitten „sonder Poetische Erfindungen" niedergeschrieben habe. Den Stoff entnahm er einer ita-lienischen Bearbeitung der spanischen Novelle *Die Macht der Enttäu-schung* von Juan Perez de Montalvan.[26] Da die Bezeichnung Schauspiel damals noch nicht bekannt war, nennt der Dichter seinen *Cardenio* ein Trauerspiel. Nach Opitz ist „die Tragedie . . . an der maiestet dem Heroischen getichte gemeße, ohne das sie selten leidet, das man gerin-gen standes personen vnd schlechte sachen einführe."[27] Da aber in dem Drama von Gryphius die Helden dem verbürgerlichten Kleinadel an-gehören, entschuldigt sich der Dichter: „Die Personen so eingeführet sind fast zu nidrig vor ein Traur-Spiel, doch hätte ich diesem Mangel leicht abhelffen können, wenn ich der Historien (die ich sonderlich zu behalten gesonnen) etwas zu nahe treten wollen. Die Art zu reden ist gleichfalls nicht vil über die gemeine . . ."

Die Tragödie *Cardenio und Celinde* entstand um 1650. Im ersten Akt erzählt Cardenio die Geschichte seiner Liebe zu Olympia und seiner sündigen Beziehungen zu Celinde. Er will Lysander, der Olympia auf unrechtem Wege gewonnen hat, ermorden. Der nächste Akt führt uns die von Cardenio verlassene Celinde in ihrem Liebeswahn vor. Ihr Selbstmordversuch wird vereitelt. Die Zauberin Tyche überredet sie zu einer schändlichen Tat. Celinde soll dem Leichnam ihres ehemaligen Geliebten Marcellus das Herz herausschneiden, um durch Zauberei die Gunst Cardenios wiederzugewinnen. In beiden Akten wird also in einer Parallelkomposition die Leidenschaft der Titelhelden des Dramas geschildert. Ihr Affekt treibt sie zum Verbrechen, das sie noch in der folgenden Nacht begehen wollen.

In der ersten Szene des dritten Aktes klärt uns Olympia über ihre Liebe auf. Ursprünglich war sie Cardenio gewogen. Dann aber, als sie sich von ihm verlassen glaubte, und Lysander heiratete, lernte sie mit der Zeit ihren Gatten schätzen und lieben. In der zweiten Szene tritt Cardenio auf. Auch bei ihm fand ein Gefühlsumschwung statt. Die Liebe zu Olympia verwandelte sich in Haß.

Im vierten Akt erreicht die Handlung den Höhepunkt, und es tritt die entscheidende Wendung ein. Cardenio, der Lysander ermorden will, begegnet einem Trugbild, in dem er Olympia erkennt, entbrennt von neuem in Leidenschaft zu ihr und versichert sie seiner Liebe. Da der Zuschauer weiß, daß die vermeintliche Olympia der Tod ist, wirken die Liebesbeteuerungen von Cardenio wie bittere Ironie, sie erhalten aber auch eine tiefere Bedeutung im Sinne des Vanitasgedankens. Schließlich gibt sich das Gespenst dem entsetzten Cardenio zu erkennen. Es steht vor ihm das allegorische Gegenbild des Amor – ein Totengerippe mit Pfeil und Bogen.

Celinde, die um dieselbe Zeit den Leichnam des Marcellus aus dem Grab schleppt, wird vom heimkehrenden Cardenio überrascht. Beide sind erschüttert. Die Leiche kehrt von allein ins Grab zurück. Die „unglücklichen Verliebten" sehen darin eine Mahnung Gottes, erkennen das Verbrecherische ihres Verhaltens im vollen Ausmaß und werden von ihrer Leidenschaft geheilt.

Im Schlußakt gesteht Cardenio Lysander in Anwesenheit von Olympia, ihrem Bruder, Celinde und einem Freund seine Mordabsicht und schildert die Ereignisse der grauenvollen Nacht. Es kommt zur gegenseitigen Aussöhnung. Liebe und Haß werden im Zeichen der Vergänglichkeit zur Freundschaft.

Auch in dieser Tragödie hat der Dichter die Affekte verdammt. Über seine Absichten äußert er sich selbst in der Vorrede: „Mein Vorsatz ist zweyerley Libe: Eine keusche, sitsame und doch inbrünstige in Olympien: Eine rasende, tolle und verzweifflende in Celinden, abzubilden. . . . Mit einem Wort, man wird hirinnen als in einem kurtzen Begriff, alle dise Eitelkeiten in welche verirrete Jugend gerathem mag, erblicken. Cardenio suchet was er nicht finden kan und nicht suchen solte. Lysander bauet seine Libe auff einen so unredlichen als gefährlichen Grund, welches gar übel außschlägt; bis seine Fehler von Vernunfft, Tugend und Verstand ersetzet werden."

Die kunstvolle Komposition der Tragödie vergleicht Hugh Powell mit dem Bau der Fuge, dem mehrstimmigen Tonstück, in dem ein Thema in den verschiedenen Stimmen nacheinander auftritt und kontrapunktisch durch das ganze Stück durchgeführt wird.[28] Cardenio kann mit der ersten Stimme verglichen werden, sein Thema, die rasende, tolle Liebe ist deutlich und fesselnd. Celinde, die zweite Stimme, variiert dasselbe Thema. Olympia, die dritte, behandelt das Thema ruhiger. Sie repräsentiert die sittsame keusche Liebe. In der mittleren Partie, also in dem vierten Akt des Dramas, gibt es eine Reihe von Einsätzen in verschiedenen Tonarten und Kombinationen. Wir finden hier die sogenannte Engführung, also Einsätze in schneller Folge, die zum Teil gleichzeitig verlaufen und wiederholte Unterbrechungen einer Stimme durch die andere. In der Schlußpartie vereinigen sich alle Stimmen zu einem Akkord. Innerhalb dieses Schemas verbinden sich die Ideen von der Rolle der Leidenschaften und des Verstandes im menschlichen Verhalten, von der Unstetigkeit des Charakters und dem Fortunaglauben mit dem Hauptthema und fesseln unsere Aufmerksamkeit.

Wie wir bereits erwähnten, spielten die Reyen in den Tragödien von Gryphius eine wichtige Rolle. Hans Steinberg unterscheidet drei Stufen ihrer Entwicklung.[29] Im *Leo Armenius* „knüpfen sie an ein wichtiges Moment des vorhergehenden Aktes an und leiten als stimmunggebendes Element zum nachfolgenden Akte hinüber".[30] Sie stehen miteinander in keinem deutlichen ideellen Zusammenhang und das Stück verdankt seine Einheit ausschließlich der Handlung.

Die zweite Stufe der Entwicklung erreichen die Reyen in der *Catha-*

*rina von Georgien* und der ersten Fassung des *Carolus Stuardus*. Bedingt können wir dazu auch noch *Cardenio und Celinde* zählen. In den Reyen dieser Gruppe wird die Idee des Stückes Stufe um Stufe im Sinne des Dichters dargelegt, entwickelt und verherrlicht, und zwar parallel zur Handlung.

Zu der dritten Gruppe gehören die Reyen des *Papinian*. Sie sind am stärksten mit der Handlung verknüpft, und da diese reicher ist, ist der gegenseitige ideelle Zusammenhang der Reyen nicht mehr so deutlich wie in der zweiten Gruppe. Trotzdem bedeutet diese Entwicklung einen Fortschritt, denn die Reyen im *Papinian* „geben nicht nur die abstrakte Idee, die der Dichter in seinem Werk zeigen will, sondern zugleich decken sie die ganze innere Welt der ewigen ehernen Gesetze auf, wodurch die äußere Handlung vorwärtsgetrieben wird".[31]

Gryphius bedient sich dreier Arten von Reyen. Die erste ist die Ode, die wir nach heutigen Prinzipien noch in strophische Lieder, Oden und Hymnen unterteilen können. Die zweite Gruppe bilden die dreiteiligen Oden und die dritte die Zwischenspiele, eine erweiterte Form der Reyen. Das Zwischenspiel tritt in den Tragödien von Gryphius immer vor der Katastrophe auf. Im *Leo Armenius* ist es noch nicht ausgebildet. Ein Ansatz dazu sind die Reyen der Priester und Jungfrauen, die während der Weihnachtsandacht in der Schloßkirche das Lob des Neugeborenen singen. Hier gebraucht der Dichter aber noch die dreiteilige Odenform. Später dagegen bringt Gryphius vor der Katastrophe allegorische Zwischenspiele, in denen er auf diese Oden verzichtet. Die Zwischenspiele treten in allen Tragödien vor dem Schlußakt auf. Eine Ausnahme ist *Cardenio und Celinde*. Da hier die Katastrophe im vierten Akt stattfindet, steht das Zwischenspiel folgerichtig nach dem dritten Akt. Im *Papinian* gibt es neben dem Zwischenspiel vor dem Schlußakt noch ein zweites vor dem dritten Akt, in dem Laetus ermordet wird, also vor der Katastrophe der Nebenhandlung.

Gryphius wahrt streng die drei Einheiten.[32] Am Anfang dieser Tragödien machte er immer genaue Angaben über den Schauplatz und die Zeit der Handlung. Seine Tragödien spielen sich in 15 bis 18 Stunden ab. Der Ort der Handlung ist das Schloß oder die Stadt. Die Einheit der Handlung wird nur einmal durchbrochen, und zwar im *Papinian*, wo der Laetus-Handlung viel Raum eingeräumt wird. Gryphius hat es aber kaum als Bruch empfunden, da seine Aufmerksamkeit nicht so sehr dem Geschehen als der Idee des Stückes galt.

Im 17. Jahrhundert hat man die Übersetzung als künstlerisch vollwertige Leistung angesehen. Sie erbrachte den Beweis dafür, daß die deutsche Sprache den Sprachen der anderen Völker gleichwertig ist und dieselben formalen und sprachlichen Probleme meistern kann. Auch Gryphius übertrug zwei Tragödien fremder Autoren, *De Gebroeders* von Vondel und die *Felicitas* des Jesuiten Nikolaus Causinus. Die Übersetzung der *Felicitas* ist nach Palm 1646 entstanden. Wentzlaff-Eggebert datiert sie auf Grund seiner Stilkonzeption auf die Zeit von 1634 bis 1637. Zwar liefert hier der Dichter eine sehr genaue, fast wörtliche Übersetzung und lehnt sich deshalb auch eng an den lateinischen Stil an, doch das erlaubt noch keine genauere Datierung; denn schon durch seine drei Sonett-Übertragungen in der Ausgabe von 1637 bewies Gryphius, daß er alle drei Möglichkeiten der Übersetzung – die freie, wörtliche und treue – meisterte und nicht eine stufenweise Entwicklung als Übersetzer durchmachte.

Causinus war der Beichtvater Ludwigs XIII. und berühmt als Professor der Rhetorik und später als Prediger. Seine *Tragoediae sacrae,* die sich schon 1634 im Besitz des Schlesiers befanden,[33] enthalten vier Dramen. Ein Trauerspiel handelt von der Blendung des Königs Cedetias und der Hinrichtung seiner Söhne während der ersten Zerstörung Jerusalems. Ein zweites berichtet von den drei Männern im feurigen Ofen und Nabuchodonosor. Im *Theodorich* schildert der Dichter zuerst die Hinrichtung des Boetius und des Symmachus und bringt dann ein Märtyrerstück über den standhaften Tod des zur römischen Kirche übergetretenen Königssohns der Goten. Eine maximale Ansammlung von Grausamkeiten bietet aber erst die *Felicitas.* Die Hauptheldin, eine schöne Römerin, bezahlt ihre Glaubenstreue mit ihrem Martyrium und dem Tode von sieben ihrer Söhne. In der Tragödie werden die ausgesuchtesten Qualen variantenreich dargestellt und die verschiedenen Arten des Todes geschildert. Gelungen ist die Gegenüberstellung der standhaften, übermenschlich unerschrockenen Märtyrerin dem menschenfreundlichen, aber schwachen Aurelius, der es nicht gewohnt ist, auf Widerspruch zu stoßen, und durch die Haltung der Felicitas immer wieder in teuflischen Zorn gerät. Gryphius übersetzte das Stück in Jamben und Trochäen und bediente sich verschiedener Versmaße von kurzen Versen bis zum Achtheber. Der Hauptvers blieb aber der Alexandriner.

Zwei Jahre nach der Ankunft von Gryphius in Leyden erschien die Tragödie *De Gebroeders* des Holländers Joost van den Vondel. Vielleicht hat Gryphius dieses Stück des berühmten Autors damals auf der Amsterdamer Bühne gesehen. Der Stoff der Tragödie entstammt dem zweiten Buch Samuelis. Er deckt sich mit einer Schilderung des Josephus im siebenten Buche der *Jüdischen Altertümer*. Vondel übernimmt mehrere Umgestaltungen der dort geschilderten Vorkommnisse und stellt den Tod der Söhne Sauls als Folge der Priesterrache dar. Gryphius übersetzt das Werk sehr genau nach der ersten Ausgabe. Er übernimmt aus seiner Vorlage auch eine Reihe von Wörtern und Wendungen und gibt sie in deutscher Schreibung wieder oder bildet deutsche Wörter den holländischen nach. Anstelle des holländischen „blijkt", was „wie es scheint" bedeutet, schreibt er einfach „blickt", für das holländische „eisch" gleich „Forderung" schreibt er „der Heisch", für „schijn", deutsch „die Lage", setzt er „Schein".

Gryphius ergänzte das Stück um einen 92 Verse zählenden Prolog und um einen kurzen, sechsversigen Epilog. Beide werden vom Geist Sauls gesprochen und geben eine Interpretation der Tragödie. Das Stück Vondels wurde nämlich manchmal als ein Beispiel für die verheerenden Folgen der Priesterrache angesehen und angegriffen.[34] Für Gryphius war eine solche Interpretation unannehmbar, und, um sie auszuschließen, versuchte er das Geschehen in Prolog und Epilog anders zu deuten. Der Geist des Saul stellt sich als ein Tyrann vor und die blutige Strafe, die seinen Stamm trifft, interpretiert er als Gottes (dessen Vertreter ja die Priester sind) gerechten Spruch:

> Zum Spiegel euch, blutdürstige Tyrannen!
> Die ihr nur töten könnt und bannen.
> . . . . . . . .
>
> Mein Totenkleid, ob welchem Ihr erschreckt,
> ist durch und durch mit Blut befleckt
> und ganz von Zehren naß; doch nicht von meinen Zehren
> . . . . . . . .
> Hier klebt unschuldig Blut, das priesterliche Blut . . .

So hat Gryphius nicht nur die Interpretation des Stückes von vornherein festgelegt, sondern sich auch gegen eventuelle Angriffe von seiten der Geistlichkeit gesichert. Dieser Blickpunkt von Gryphius stimmt mit dem Text der Tragödie nicht ganz überein. Nach Fertigstellung der Übersetzung, die den deutschen Titel trägt: *Die Sieben Brüder Oder die Gibeoniter* und der 1652 in Breslau erfolgten Aufführung des Stückes wurde Gryphius sich dessen bewußt. Um seine Ideen ohne Widersprüche darzustellen, unternahm er eine Neubearbeitung des Stoffes, die bei seinem Tode, wie sein Sohn Christian berichtet, bis zum fünften Akt fertiggestellt war.

## Aufführungen

Die Tragödien von Gryphius wurden in den fünfziger und sechziger Jahren des 17. Jahrhunderts des öfteren aufgeführt.[35] Aus der im Jahre 1659 unterzeichneten Widmung erfahren wir, daß *Leo Armenius, Catharina* und *Felicitas* von der Breslauer Schulbühne gespielt wurden. Der *Leo Armenius* erschien 1650 in Frankfurt am Main im Druck. Auf diesen Text stützte sich wahrscheinlich die bekannte Wandertruppe des Joris Jollifous bei ihren Aufführungen des *Leo Armenius,* die 1651 in Köln und 1652 in Frankfurt bezeugt sind. Auch auf anderen Bühnen wurde ein *Armenius* gespielt. Noch im Jahre 1723 haben Schüler aus Rudolstadt einen dreiaktigen *Leo Armenius* aufgeführt.

Es ist ganz merkwürdig, daß die Wanderbühne des Jollifous 1651 und 1652 auch die *Catharina von Georgien* in ihrem Spielplan hatte, die doch erst 1657 gedruckt wurde. Flemming nimmt an, daß Gryphius ein Manuskript dieser Tragödie seinem Verleger Dietzel zuschickte, der es dann an die Wanderbühne verkaufte.[36] 1654 und 1655 wurde die *Catharina* auf dem Wohlauer Schloß gespielt. Im Jahre 1665 führten Schüler in Halle aus Anlaß des hundertsten Jahrestages des dortigen Gymnasiums diese Tragödie auf.

Schon 1650 wurde in Thorn ein Trauerspiel über die Hinrichtung Karl Stuarts von Schülern dargestellt. Da das Manuskript des Stückes von Gryphius im März desselben Jahres abgeschlossen war, darf man annehmen, daß die Thorner wahrscheinlich dieses Stück spielten. Mit dieser Stadt unterhielten die schlesischen Lutheraner seit dem dreißigjährigen Krieg die engsten Verbindungen, da dort Hunderte von Schlesiern Zuflucht fanden. 1665 spielte das Zittauer Schultheater den *Carolus Stuardus,* und 1671 wurde ein Stück von der Enthauptung des englischen Königs in Altenburg aufgeführt. Eine Tragödie von Carolus Stuardus haben auch mehrere Wanderbühnen gegeben. Aufführungen von *Cardenio und Celinde* sind nur in Breslau bezeugt. Die Tragödie wurde „wechselweis" mit Casper von Lohensteins *Cleopatra* durch das Elisabethanum vom 28. Februar bis 3. März 1661 aufgeführt.

Schon 1652 haben die Schüler dieses Gymnasiums die *Gibeoniter* von Vondel und sechs Jahre später die *Felicitas* gespielt. Schließlich brachte 1660 dieselbe Bühne siebenmal den *Papinianus* von Gryphius. Aufführungen des *Papinian* haben 1674 in Altenburg, 1680 in St. Gallen in der Schweiz stattgefunden, wo ein Jahr später die Tragödie des Schlesiers im Druck erschien.[37] In diesem Neudruck wurden unter anderem allzu lange Reden auf mehrere Personen verteilt oder gekürzt, die Geisterrollen hat man gestrichen. Auch auf anderen Bühnen ist man mit den Urtexten sehr verschieden umgegangen. Sogar die Breslauer Aufführungen haben in der Regel die Zahl der Sprecher vermehrt, um so der ganzen Klasse Gelegenheit zu geben, mitzuspielen. Im Jahre 1677 führte Treu den *Papinian* in München auf und 1690 Velten. 1733 spielte das Akademische Theater in Salzburg einen *Papinian* und Gottsched berichtet, daß die Trauerspiele von Gryphius noch im ersten Viertel des 18. Jahrhunderts zum Repertoire der Truppe Hofmanns gehörten.

•

seiner Amtszeit als Landessyndikus verfaßte, also Ende der vierziger Jahre des 17. Jahrhunderts. Wie der Dichter selbst angibt, stützt er sich auf eine Bearbeitung des Altdorfer Professor Daniel Schwenter, die durch wandernde Komödianten in Deutschland gespielt wurde. Gryphius hat das Stück „besser ausgerüstet, mit neuen Personen vermehret, und nebens einem seiner Traurspiele aller Augen und Vrtheil vorstellen lassen."

Im *Peter Squentz* wird der aus der Antike stammende Pyramus- und Thisbe-Stoff hehandelt. Shakespeare hat ihn in seinem *Sommernachtstraum* verwertet. Die Handwerkerepisode brachten dann englische Komödianten in ihrem Repertoire nach Europa, wo sie mannigfache literarische Umarbeitungen erfuhr. In der Fassung von Gryphius wird die Episode, die das künstlerische Dilettantentum belächelt, zu einem selbständigen Stück ausgebaut. Es ist zielbewußte Parodie der epigonenhaften Meistersinger und Pritschmeister. Unter den elf Stücken, die Peter Squentz in seinem Spielplan führt, sind neun Dichtungen des Hauptvertreters des Meistersanges und Fastnachtspiels, Hans Sachs.

Die Komödie von Gryphius hat drei Akte. Im ersten werden durch Squentz die Rollen an die Mitspieler verteilt und die Aufführung besprochen. Im zweiten Aufzug präsentiert sich Squentz dem König, vor dem das Stück gespielt werden soll. Beide Akte nehmen im Erstdruck nur 14 Seiten ein. Der dritte Akt, in dem das Stück *Pyramus und Thisbe* vor der Hofgesellschaft gespielt wird, ist unproportional länger und nimmt 27 Seiten ein. Gryphius bedient sich im *Squentz* der Prosa, nur das Spiel im Spiel ist im Knittelvers verfaßt, dem Versmaß, das damals als überholt galt und in den Poetiken verpönt wurde.

Gryphius ahmt in seinem Schimpfspiel die unbeholfene Komposition der Handwerkerstücke, den unregelmäßigen Vierheber, die unreinen Reime, ja sogar die plumpe Zahlenkomposition nach.[4] Sie stehen im krassen Mißverhältnis zu den Erfordernissen der Kunstdichtung und wirken dadurch komisch. Der Dichter bringt auch ein parodiertes Meistersingerlied in Notenschrift, wobei der Kontrast zwischen simplem Text und gekünstelter Melodie besonders stark hervortritt. Das überhebliche Getue der verseschmiedenden Dilettanten, die mit ihrer Bildung protzen, und als Alles- und Besserwisser auftreten, steht von vornherein im offensichtlichen Widerspruch zu ihrem Unwissen. Ihr Unvermögen, zwischen Realität und Spiel deutlich zu unterscheiden, führt zu Verwirrung und Irrtümern. Geltungsbedürfnis und Habgier sind die Antriebskräfte für ihre Kunst und nicht die Liebe zu ihr, und sie versäumen keine Gelegenheit, ein Entgelt zu erbitten. Auch der Niveau-Unterschied zwischen den Spielern und den ihnen geistig überlegenen Zuschauern wird stark betont. Gryphius nutzt in seinem Schimpfspiel das lächerliche Mißverhältnis von „erstrebtem, erhabenem Schein und wirklichem, niedrigen Sein".

Die Komik des *Squentz* ist einfach, aber seit Jahrhunderten in den lustig-derben Zwischenspielen theatralisch erprobt. Gryphius bedient sich solcher Mittel wie Aus-der-Rolle-Fallen, des Textevergessens, der Prügelei, des Dazwischenredens, der Personenverwechslung. Er macht unflätige Anspielungen auf den Verdauungsprozeß und scheut nicht Obszönitäten. Die Hauptstärke seines Stückes ist Rede- und Wortkomik. Er liebt Wortverdrehungen, Wortspiele, falsche Wortanwendungen. Immer wieder wird das Wesentliche zu Gunsten des Nebensächlichen vernachlässigt. Die Ungeschliffenheit der spielenden Handwerker führt zu groben Anstandsverletzungen und zu ihrem Versagen, was Peter Squentz als „Sau" (Fehler) bezeichnet. Aber gerade dieses Versagen der Spieler unterstreicht das Mißverhältnis zwischen ihrer Leistung und ihrem Vorsatz und löst im Zuschauerraum Lachen aus. Der König, vor dem das Pyramus- und Thisbe-Spiel aufgeführt wird und der als Kunstrichter auftritt, belohnt auch folgerichtig die Spieler nicht nach ihren künstlerischen Absichten, sondern nach der Zahl der „Säue".

## Horribilicribrifax

In der Vorrede von *Peter Squentz* kündet Gryphius eine zweite Komödie, den „unvergleichlichen Horribilicribrifax" an. Die Handlung des Stückes spielt im Jahre 1648. Um diese Zeit hat es Gryphius wohl auch niedergeschrieben.

Der „miles gloriosus" von Plautus ist das Urbild der beiden Hauptgestalten des Scherzspiels *Horribilicribrifax* oder *Wehlende Liebhaber*. Die Hauptleute Horribilicribrifax von Donnerkeil auf Wüsthausen und Daradiridatumtarides Windbrecher von Tausend Mord sind zwei Maulhelden, Überbleibsel des dreißigjährigen Krieges, die gleichzeitig dem Capitano der italienischen Komödie verpflichtet sind.[5] Sie sehen sich zum Verwechseln ähnlich, nur daß der erste von ihnen italienische Brocken in sein Deutsch mischt, der andere französische. Beide sind beispiellose Angsthasen, aber solange keine Gefahr besteht, prahlen sie mit den unglaublichsten Heldentaten, die sie vollbracht haben wollen. Gryphius, der sich auch hier als ein Meister der Sprache erweist, treibt ihre unerhörten Aufschneidereien zum Extrem, reiht sie bis zum Ermüden aneinander, ist unerschöpflich in immer neuen Einfällen.

Ein anderes Relikt des dreißigjährigen Krieges waren die verarmten Adelsfamilien. In dem Stück sind sie vor allem durch die hochmütige Jungfrau Selene und durch Sophia „eine keusche, doch arme, Adeliche Jungfrau" sowie durch ihre Mütter vertreten. Zu den mit kraftvollen Strichen gezeichneten Personen des Stückes gehört auch ein „alter verdorbener Dorfschulmeister", der mit seinem miserablen Latein und Griechisch protzt, und die alte Kupplerin Cyrilla, die ihre magischen Formeln murmelt und die welschenden Reden ihrer Partner verdreht und mißversteht. Zu dem Sittenbild gehört auch die Figur des Juden, der in sein Deutsch hebräische Worte mischt. Er, der Geld leiht, weiß am besten über die Misere des Adels Bescheid.

Eine nicht geringe Rolle spielen in dem Stück die Diener und die Kammerjungfern, die oft ihre Herrschaften durchschauen und sie hinters Licht führen. Die positiven Gestalten sind blasser ausgefallen. Im *Horribilicribrifax* treten zwanzig sprechende Personen auf und mehrere Diener in stummen Rollen. Dem Dichter gelingt es nicht, sie immer genügend deutlich zu charakterisieren, und man hat den Eindruck, daß einige Personen überflüssig sind. Das Weltbild, das Gryphius im *Horribilicribrifax* zu Ausgang des großen Krieges entwirft, ist mehr als unerfreulich. Es herrschen Betrug und Intrige, die ein allgemeines Mißtrauen nach sich ziehen. Auch die Armut bedroht den Menschen. Den einzigen Ausweg aus der Misere sieht der Dichter in der Tugend der Beständigkeit.

In dem Stück gibt es keine Haupthandlung, sondern eine Reihe von parallel verlaufenden Handlungen, die nur sehr lose miteinander verbunden sind. Gryphius versucht diese Schwäche durch eine durchdachte Komposition zu überwinden. So weisen zum Beispiel die ersten fünf Szenen der ersten beiden Akte eine parallele Konstruktion auf. Den ersten Akt eröffnet der Auftritt von Daradiridatumtarides, den zweiten der von Horribilicribrifax. In der zweiten Szene des ersten Aktes erfahren wir, daß die hochmütige Selene Kapitän Daradiridatumtarides gewählt hat. In der dritten entscheidet sich die keusche Sophie für den Weg der Tugend. Parallel dazu wirbt im zweiten Akt Horribilicribrifax um Coelestina und dann Coelestina um Palladio. Die vierte Szene des

# ANDREÆ GRYPHII
# HORRIBILICRI·
## BRIFAX
### Teutſch.

**Breſlaw /**
**Bey Veit Jacob Treſchern.**

*Titel der ersten Ausgabe des Lustspiels von 1663*

---

ersten Aktes bringt einen Monolog von Sempronius und die Parallel-
szene aus dem zweiten Akt das Selbstgespräch von Cyrilla.

Gryphius führte in dem Stück die verschiedenen Arten der Gatten-
wahl exemplarisch vor. Mehrmals bedient er sich der Konstellation
einer Frau zwischen zwei Männern, stellt Liebe ohne Gegenliebe beispielhaft dar, wiederholt und variiert ähnliche Situationen. Die Konflikte finden schließlich eine Lösung durch eine Reihe von Heiraten.
Die Paare werden nach dem Prinzip „Jedem das Seine" gebildet. Die
hochmütige Selene verfällt dem Aufschneider Daradiridatumtarides,
der verdorbene alte Sempronius wird ein Opfer seiner Lüsternheit und
bekommt die alte Kupplerin zur Frau. Die beständige Liebe der Coelestina wird mit der Gegenliebe des Palladio belohnt und die Tugend
der Sophie entflammt das Herz des Statthalters. Somit ist der „gute"
Ausgang des *Horribilicribrifax* ein Akt der Gerechtigkeit und die Ehe
übernimmt in gewissem Sinn die Rolle des Strafgerichts.

Im Vordergrund steht trotzdem nicht die Liebesintrige, sondern die
wüste Sprachmengerei.[6] Der Gegensatz zwischen dem reinen Deutsch,
das Gryphius und den anderen Dichtern dieser Epoche heilig war, und
der verzerrten Sprache der beiden Maulhelden, ihrer Diener, des Sempronius und des Juden sowie das dauernde Mißverstehen ihrer Reden
durch Cyrilla ergibt eine Kette komischer Effekte. Andererseits fehlt
es dem Lustspiel aber an Leichtigkeit und schnellem Fluß der Hand-

lung. Es ist zu lang und leidet an der Anhäufung des fremden Sprachballastes, der ermüdend wirkt und stellenweise unverständlich ist.

## Verliebtes Gespenst und Geliebte Dornrose

Als Gryphius im Jahre 1660 anläßlich der Hochzeit des Piastenherzogs Georg III. von Brieg in Eile das Doppelspiel *Verlibtes Gespenste, Gesang-Spil. Die gelibte Dornrose Schertz-Spill* verfaßte, war ihm bestimmt nicht bewußt, daß er mit dem Scherzspiel sein lebensfähigstes Bühnenwerk schrieb. Das Doppelspiel wird durch einen Prolog des Amor eröffnet, der mit Bogen und Pfeilen in den Wolken erscheint und die Allmacht der Liebe preist. Es schließt mit den Reyen der Verliebten und der Bauern. Die allegorische Gestalt des Hymen trägt die Wünsche für das Hochzeitspaar vor, für das das Spiel geschrieben war.

Das Hauptthema, die Liebe, wird in zwei parallel verlaufenden Handlungen gestaltet. In den je vier Akten der beiden Stücke, die miteinander abwechseln, wird der „hohen" Liebe der Damen und Herren die „niedrige" Liebe des Bauernvölkleins gegenübergestellt. Diese Kompositionsart hat ihren Ursprung in den Bauernszenen der Zwischenspiele, die vor allem der Belustigung des Publikums dienten. Der Dichter hat sie in der *Dornrose* zu einem literarisch gleichwertigen, selbständigen Stück ausgebaut, das er dem Hauptspiel gegenüberstellt.

Im *Verlibten Gespenste* verbindet gegenseitige Liebe Sulpicius und Chloris, die Tochter Cornelias. Dessen ungeachtet will Cornelia selbst Sulpicius für sich gewinnen. Sie greift zur List und schickt ihm mit einem Liebesmittel zubereitete Früchte. Im Scherzspiel sieht die Situation ähnlich aus. Hier steht aber nicht ein Mann zwischen zwei Frauen, sondern umgekehrt ein Mädchen zwischen zwei Burschen. Kornblume und Dornrose lieben sich. Dem Mädchen stellt aber Matz Aschewedell nach. Auch er versucht, sie durch ein Liebesmittel für sich zu gewinnen; als sein Werben erfolglos bleibt, will er ihre Liebe durch Gewalt erzwingen. Die Nebenbuhler Cornelia und Aschewedell nehmen Zuflucht zur Zauberei, erreichen aber beide das Gegenteil von dem, was ihnen vorschwebt. Das Werben der älteren Cornelia um den jungen Sulpicius hat ein Gegenstück im Verhalten der alten Kupplerin Salome zu Kornblume. Die Parallelität der Handlung zog gewisse Unregelmäßigkeiten im Aktbau nach sich. So ist der letzte Akt *Der gelibten Dornrose* viermal so lang wie derselbe Akt des *Verlibten Gespenstes*.

In dem Gesangspiel greift auch Sulpicius zu einer List. Er stellt sich tot und versucht als Gespenst, Cornelia umzustimmen. Das Stück endet mit der glücklichen Vereinigung der Liebenden. Die komische Person des Lustspiels ist der törichte Schwätzer Cassander, der sich durch ein tolles französisch-deutsches Sprachgemisch lächerlich macht. Auch das Scherzspiel endet mit der Zusammenführung der Liebespaare. Kornblume erhält Dornrose und der verdorbene Aschewedell bekommt die alte Kupplerin Salome. Das letzte Paar erinnert wiederum an das Paar Cyrilla und Sempronius aus dem *Horribilicribrifax*.

Den Titel *Verlibtes Gespenste* und die Gespensterlist entnahm der Dichter wahrscheinlich dem französischen Werk des Quinaul *Le Fantôme amoureux*.[7] Die *gelibte Dornrose* wurde dagegen durch das 1647 verfaßte Spiel Vondels *Leeuwendalers* beeinflußt. Ihm entlieh Gryphius den Namen der Titelheldin Dornrose (Hageroos), das Motiv der Liebenden aus verfeindeten Familien, die Rettung des Mädchens vor dem Schänder und die Bauernstreitszene um einen Hahn. Diese französisch-holländischen Anleihen wurden in beiden Stücken der Grundkonzeption des Dichters untergeordnet und um neue Motive bereichert, so daß das Doppelspiel mit Recht als Eigenschöpfung des Dichters angesehen werden kann.

Das *Verlibte Gespenste*, das in hochdeutschen Alexandrinern verfaßt ist, wirkt sehr konventionell und gekünstelt. Es ist eines der Dutzendstücke der Epoche, das den Zeitstil in keinem Vers leugnen kann. Die Intrige um den Scheintoten, ein Motiv aus der Schäferdichtung, wirkt unwahr und das Spiel bedeutet für uns heute nur noch ein Stück tote Literatur.[8] Um so lebendiger und wahrer wirkt das Bauernspiel. Die schlesischen Bauern werden in ihrer urwüchsigen Naivität vorgeführt mit ihren Sorgen und Schwächen, doch durch ihre unbeholfene Schwerfälligkeit schimmert ein gutes Herz. Matz Aschewedell und die beiden Kampfhähne Bartel und Jockel entsprechen dem tradionellen Bauernbild aus den Intermedien und den Lustspielen. Dagegen weichen Dornrose und Kornblume von der damals üblichen Komödienfigur des Bauern weitgehend ab. Der Dichter zeichnet in ihnen einfache, ehrliche Menschen, deren Liebe ungleich überzeugender wirkt als das konventionelle, schmachtend-weinerliche Getue der Damen und Herren im *Verlibten Gespenste*. Diese bis dahin im deutschen Lustspiel unbekannte Aufwertung der Bauern und ihre literarische Gleichstellung ist zukunftweisend. Gryphius ist ein Meister der sprachlichen Charakteristik. Die

Bauern sprechen den schlesischen Dialekt des Glogauer Landes, Dornrose aber ein auf der Schule gelerntes, einfaches Hochdeutsch. Prächtig ist die Figur des Gutspächters und Dorfrichters Wilhelm von Hohen Sinnen. Zwar erinnert er uns durch sein Gebaren an die Maulhelden vom Typ des Horribilicribrifax, aber die Funktion seines Verhaltens ist in der *Dornrose* eine grundsätzlich andere. Der Dorfrichter will nämlich, indem er Gelehrsamkeit vortäuscht, die Bauern beeindrucken und verschafft sich durch sein „amtliches" Auftreten bei ihnen Gehör. Hinter der Hochachtung und Schrecken erweckenden Maske verbirgt sich aber ein guter, gerechter Mensch, der durch seinen Mutterwitz die Dorfkonflikte geschickt zu lösen weiß. Obwohl die Gerichtsverhandlung parodistische Züge aufweist, ist der Urteilsspruch gerecht und löst glücklich die tief-menschlichen Konflikte. Eine weitere typische Komödienfigur der Zeit, die in der *Gelibten Dornrose* auftritt, ist die Kupplerin Salome, die der Cyrilla aus dem *Horribilicribrifax* sehr ähnelt. Beide sind gerissen und habgierig und trotz ihres Alters mannstoll. Salome ist aber weniger negativ gezeichnet. Der Dichter bemüht sich in der *Dornrose* um eine realistischere Charakterschilderung.

Es ist interessant, daß Gryphius in der Zeit der Sprachgesellschaften, die die Mundart aus Sprache und Dichtung verbannten, den Dialekt für literaturfähig hielt. Er setzte damit die Tradition der mundartlichen Bauernszenen der Zwischenspiele fort. Der Dichter hatte für die verschiedensten volkssprachlichen Nuancen ein feines Ohr, und hat ein Kunstwerk geschaffen, dem in der deutschen Dialektdichtung des 17. Jahrhunderts nichts ebenbürtig ist.

## Majuma

Die Singspiele von Gryphius: *Majuma* und *Piastus* lassen deutlich den Einfluß der damaligen Oper erkennen. *Majuma* wurde, wie aus einer Anmerkung auf dem Titelblatt hervorgeht, „auf dem Schauplatz gesangweise vorgestellet im May-Mond des 1653. Jahres." Dieses Freudenspiel des Dichters entstand aus Anlaß der Wahl und Krönung von Ferdinand IV. zum römischen König. Ferdinand IV., der älteste Sohn des habsburgischen Kaisers Ferdinand III., wurde am 31. Mai 1643 in Augsburg gewählt und am 18. Juni desselben Jahres zu Regensburg feierlich gekrönt. In einer alten Glogauer Chronik von Ziekursch finden wir folgende Bemerkung: „1653, den 24. Juni, ist Ferdinand IV. Krönungsfest Johanniter celebrieret, das Tedeum gesungen aus den Stücken von den allhier logirenden Compagnen Freudenschüsse getan. Auf dem großen Tanzhause wurde vor ihr Excellenz eine Comödia gespielet."[9] Im Stück wird der Mai als Krönungszeit und der Wahlort Augsburg als Krönungsort angegeben. Diese Unstimmigkeiten, die ja für das Stück von keiner größeren Bedeutung sind, entstanden wahrscheinlich nicht infolge eines Irrtums des Dichters, sondern sind das Ergebnis der richtigen Einschätzung der Wichtigkeit des Wahltages.

Es ist nicht ausgeschlossen, daß das Freudenspiel mehrmals in Glogau aufgeführt wurde. Die Datumangabe auf dem Titelblatt spielt auf *Majuma* an. „Faunalia, Floralia, Majalia, Majumas und Blumenfeste", heißt es im Vorwort, „hielten vor Zeiten, großgünstiger Zuseher, die Alten, teils um die Gemüter mit dem Jahr zu ermuntern ... teils auch um zu erinnern, daß dieses Leben gleich Blumen flüchtig ..."

Selbst in diesem Singspiel läßt Gryphius es sich nicht nehmen, die blutige Vergangenheit durch einen Waldgott noch einmal erschütternd zu schildern und so auf die Analogie der Zeitsituation zum Inhalt des Freudenspiels hinzuweisen. Das Singspiel handelt nämlich von der Zähmung des Kriegsgottes Mars durch Chloris (Flora), die Mutter der Blumen. Mars, der ihren wunderbaren Blumengarten zerstört hat, muß nun als Gärtner an seiner Neuanlage mitarbeiten. Der Wiederaufbau war ja auch die Aufgabe, die nach dem dreißigjährigen Krieg vor dem neugewählten König stand. Den Schwerpunkt des Stückes bildet die Anklage der Chloris gegen den Krieg und dessen Verteidigung durch Mars, der in einer Kette daktylischer Verse den Krieg als eine Reinigungsaktion hinzustellen versucht. In dem Stück tritt eine komische Person, ein lahmer Soldat auf, ein Relikt aus der alten Zeit. Der Unbelehrbare predigt, obwohl er selber lahm und krumm geschlagen wurde, noch immer die Ideologie des Krieges und des Blutvergießens.[10]

In diesem kurzen, wohl in Eile verfaßten Stück verstand es Gryphius, auf eine leichte und anmutige Weise, ohne die fröhliche Stimmung zu stören, die Grundgedanken von Krieg und Frieden mit dem Anlaß des Stückes glücklich zu verbinden. Zwar schließt er sich der Zeitmode der Schäferdichtung an, aber er übertreibt nicht. Die Götter führen eine einfache schöne Sprache, die ungekünstelt wirkt. Sie ist melodisch, die Rhythmen wechseln oft und die lyrischen Stellen werden gesungen. Es ist ungewiß, wer die Musik dazu geschrieben hat. Vielleicht hat man bereits bekannte Melodien verwendet.

Das Festspiel *Piastus* hat der Dichter für den Piastenherzog Christian von Wohlau und seine Gattin Luise von Anhalt, als diese Nachkommenschaft erwartete, geschrieben. Die schlesischen Piasten waren die letzten Nachkommen des ersten polnischen Königsgeschlechts. Die beiden Brüder des Herzogs Christian hatten keine männlichen Nachkommen; die Kinder starben bald nach der Geburt. Man befürchtete deshalb in Schlesien, daß der Piastenstamm aussterben könnte. Obwohl die Herrschaft der Herzöge sich nur noch auf die drei Fürstentümer Brieg, Liegnitz und Wohlau beschränkte, spielten sie als die Beschützer ihrer Untertanen vor dem habsburgischen Absolutismus eine große Rolle. Sie selbst waren zwar kalvinistisch, erwiesen sich aber auch für die Lutheraner als milde Herren. Die schlesischen Protestanten haben darum die Nachkommenschaftsfrage mit banger Aufmerksamkeit verfolgt.

Palm versucht zu beweisen, daß es sich um die Geburt Georg Wilhelms handelte, der 1660 zur Welt kam. Seine Erwägungen schließen aber nicht aus, daß Gryphius den *Piastus* schon drei Jahre früher geschrieben hat, und zwar 1657, als die Herzogin Luise ein Kind erwartete. Damals wurde aber eine Tochter geboren. Als dann drei Jahre später endlich der langersehnte Sohn zur Welt kam, war das Spiel von Gryphius natürlich wieder aktuell.

Das Stück wurde in sechs Akte eingeteilt und zählt 626 Verse. Gryphius stützt sich darin auf die Sage vom Ursprung der ersten polnischen Dynastie. Diese Geschichte erzählen alle schlesischen Chroniken, sie wurde auch des öfteren von schlesischen Dichtern besungen.[11]

In dem Singspiel von Gryphius warnen zwei als Fremde verkleidete Engel vergeblich den grausamen Tyrannen der Sarmaten, Popiel. In seinem Übermut lästert er Gott, wird von den Engeln verdammt und die Rache sagt ihm seinen furchtbaren Tod voraus. In dem ungastlichen Kruschwitz lebt aber auch ein ehrlicher Mann, ein freier Bauer, der den Fremden ein Nachtlager anbietet und sie bewirtet. Es ist Piast, der dank seiner Tugend durch Gottes Willen König und Ahnherr des berühmten Geschlechts wird. Gryphius schenkt seine Aufmerksamkeit vor allem dem Fest, das aus Anlaß der slawischen Zeremonie der Haarbeschneidung von Piastens Sohn Ziemovit stattfindet. Einer der Engel prophezeit dem Piastengeschlecht eine rühmliche Zukunft, und am Ende des Stückes werden in Kürze die Taten der einzelnen Herrscher dieser Dynastie angedeutet, bis hin zu Johann Christian, dem Herzog von Liegnitz. Das Festspiel schließt mit einem Tanz „in welchem lauter Trunckene und Fröhliche abgebildet. Nachmals kann ein Ballet eingeführt werden, in welchem Popiel von den Geistern der ermordeten Vätern geängstet, Piasto aber von den zwölff Fürsten die Cron angetragen wird." Für fröhliche Stimmung der Zuschauer sorgen auch Gesindeszenen. Köstlich ist die kummerlose primitiv-natürliche Lustigkeit des Bauernvölkleins. In dem Singspiel tritt ferner eine Hanswurstgestalt auf, der betrunkene Knecht Stranßki, der ein grobes Zwiegespräch mit der Magd Ville führt.

Trotz der Leichtigkeit des Spiels konnte Gryphius darin geschickt eine Parallele zwischen dem wunderbaren Anfang des Königsgeschlechtes und der Herrschaft der letzten schlesischen Piasten andeuten. Auch die Situation der Liegnitzer Fürsten war ähnlich wie die des Piastus. Sie lebten in sehr bescheidenen Verhältnissen und hielten mit den glanzvollen und prachtliebenden absolutistischen Fürsten Deutschlands keinen Vergleich aus. Wie Piastus zu Popiel waren auch sie das Gegenbeispiel der absolutistischen Tyrannei.


*Übersetzungen*

Gryphius übersetzte auch zwei fremde Lustspiele, den *Le berger extravagant* von Thomas Corneille und *La balia* des Florentiners Hieronymus Razzi. Das Werk des Franzosen trägt den deutschen Titel *Der Schwermende Schäffer. Satyrisches Lust-Spiell.* Die Übersetzung wurde aus Anlaß der Geburt des letzten schlesischen Piastenherzogs Georg Wilhelm, der am 29. September 1660 in Ohlau zur Welt kam, von Gryphius begonnen und zum ersten Geburtstag des Kindes in der fürstlichen Residenz zu Ohlau aufgeführt.[12]

Wir besitzen zwei Fassungen des *Schwermenden Schäffers,* eine gekürzte von 1661, die der Aufführung zu Grunde lag[13] und das vollständige Werk, das 1663 Christoph Leopold von Schaffgotsch gewidmet wurde. Ein Vergleich der beiden Fassungen wäre für das Studium der Aufführungspraxis und der Bühnenverhältnisse in Schlesien ergiebig.

Das Lustspiel ist eine Parodie auf die Schäferspiele. Gryphius äußert sich selbst dazu in dem kulturgeschichtlich interessanten Vorwort: „Wie die Welt iderzeit voll Thorheit gewesen:... Ich wil nicht reden von denen, die Keysersberger in sein Narrenschiff vor langen Zeiten eingenommen, oder von andern, welchen Sebastianus Brand zu ihrer Abreise behülfflich seyn wollen. Nur muß ich bey dieser Gelegenheit derjenigen erwehnen, welche ihr höchstes beliben an erdichteten Erzehlungen der irrenden Ritter uñ Schäffereyen trage, so gar, daß sie auch in Ernst alle ihre Wort und Thaten darnach einzurichten ihnen angelegen seyn lassen, das geringste ist, daß man ihre Abbildungen in Hirtenskleidern hin und wieder schauet, die Namen gehen bereits unter uns in dem schwange, und zu weilen beginnet sich das Leben den Namen zu vergleichen. Wie nun die vermeinten Ritter ihren hurtigen Kehrab bekommen, in dem außbundigen Spanischen Buche, in welchem das Leben und Thaten des Dom Quichot lächerlich genung abgebildet, also hat vor etlichen Jahren Johann de la Lande denen Liebhabern der Schäffereyen zugefallen den Berger Extrauagant nach dem Leben seiner Frantzosen dargestellet, ... Aus diesem Werck hat der berühmte Corneille gleichsam einen Außzug gemacht."

Die Übersetzung des Werkes von Corneille ist ziemlich frei, manchmal läßt Gryphius unwesentliche Wendungen und Worte aus, manchmal mißversteht er den französischen Text. Auch das Deutsch ist stellenweise schlecht und die Verse holperig. Man darf dem vielbeschäftigten Glogauer Landessyndikus glauben, daß ihm die Übersetzungsarbeit sehr lästig war. „Ich, der anderwerts zu derogleichen Ubersetzungen wenig belieben trage (angesehen sie mir nicht minder Zeit hinweg nehmen, und mehr Mühe bringen, als wann ich etwas aus eigener Erfindung auffsetzte) habe dennoch ... überlifern wollen, was bey andern überhäufften Geschäfften mir zu leisten nicht unmöglich gewesen."

Im Jahre 1663 veröffentlichte Gryphius zum ersten Mal die *Seug-Amme oder untreues Gesind*, eine Prosaübersetzung von Razzis *La balia*. Entgegen der heutigen Einschätzung lobt der Dichter das Werk des Italieners sehr. Die Arbeit an dem Stück begann Gryphius nach seinen Worten schon in seiner Jugend. Die Geschichte, die der *Seug-Amme* zu Grunde liegt, berichtet von der Untreue einer Amme, durch die es zwischen einem Paar zum blutschänderischen Verhältnis kommen sollte. Schließlich findet doch alles einen guten Abschluß durch Aufklärung der Mißverständnisse.[14] Die Sprache der deutschen Übersetzung ist fließend, klar und verdient, wie die Prosa von Gryphius überhaupt, eine nähere Untersuchung.

# PROSA

Die Prosa von Andreas Gryphius ist der am wenigsten bekannte und erforschte Teil seines Werkes. Ein Grund dafür ist, daß eine Neuausgabe noch fehlt.[1] Die Texte sind teilweise nur in Einzelexemplaren erhalten und schwer zugänglich. Für die Erkenntnis der Entwicklung der deutschen Sprache von Gryphius und seiner Weltanschauung sind sie jedoch von nicht geringem Wert. Dies ganz besonders dadurch, daß die meisten Texte datiert sind. Sie entstanden zwischen 1637 und 1663.

## Feurige Freystadt

Man kann Gryphius' deutsche Prosa in vier Gruppen einteilen: die Leichabdankungen, die Übersetzungen, die Vorworte und Widmungen seiner Dichtungen und die Schrift *Fewrige Freystadt*. Das Vorwort zu dieser Beschreibung des Brandes von Freystadt trägt das Datum 22. September 1637. Der Bericht wurde also unmittelbar nach dem Ereignis niedergeschrieben und verrät eine tiefe Anteilnahme des jungen Dichters an dem Schicksal der Betroffenen. Im Vorwort spricht er über die Entstehung der Schrift. Er hält sein Unternehmen für bedenklich und ist auf Angriffe gefaßt.[2] Seinen Bericht stützt er u. a. auf Aussagen von Augenzeugen, die zu Protokoll gegeben wurden.[3]

Am Anfang der Beschreibung steht die Vanitas-Idee, der Leitgedanke der gesamten Dichtung von Gryphius. Es ist „offenbahr, daß nichts, was in der Welt zufinden, von Ewigkeit herrühre, sondern zu gewisser Zeit seinen Vrsprung genommen: Also ist vnlaugbar, daß alles, was jemals gestanden, widerumb seinem vntergange zugeeylet, vnnd ... gantz vergehen müssen."[4] Der ganze Bericht ist so angelegt, daß Gryphius von allgemeinen Überlegungen ausgeht, sein Betrachtungsfeld dann immer mehr einschränkt und schließlich auf das einzelne Ereignis zu sprechen kommt, das der Anlaß seiner Schrift war. So heißt es zunächst: Gelehrte schätzen das Lebensalter eines Staates von seinem Anfang bis zum Niedergang auf tausend Jahre, aber er kann natürlich auch vor der Zeit untergehen; die Weltgeschichte bietet dafür viele Beispiele. Anschließend richtet der Dichter seinen Blick auf Schlesien und insbesondere auf das Fürstentum Glogau: Von dem früheren Wohlstand ist nichts übrig geblieben, die Städte des Landes sind eingeäschert, nur Freystadt war bis zu der verhängnisvollen Nacht unzerstört. Hierauf berichtet Gryphius noch von Warnungen Gottes und bösen Vorzeichen, die das Unheil angekündigt haben sollen, und dann beginnt die eigentliche Beschreibung der Feuersbrunst. Sie enthält eindrucksvolle Szenen, ist aber sehr sachlich geschrieben, oft werden Einzelheiten geschildert und Namen genannt. Die Sprache ist präzis. Gryphius fühlte sich zu einer möglichst genauen und wahrheitsgetreuen Darstellung verpflichtet. Er schätzt die Verluste auf mehrere hunderttausend Taler. Zuletzt erwägt er die Ursachen des Brandes und polemisiert gegen Ansichten, die ihn nicht natürlichen Kräften zuschreiben möchten. Die Schrift schließt wiederum mit dem Vanitas-Gedanken und der Hoffnung, daß der Kaiser sich der heimgesuchten Stadt gnädig erweisen werde.[5]

## Leichabdankungen

Die schlesischen Bibliotheken besitzen noch heute hunderte von sogenannten „Leichabdankungen" aus dem 17. Jahrhundert. Gryphius war mit dieser Gattung seit seiner Kindheit im Pastorenhause vertraut. Eine Sammlung von dreizehn solcher Leichabdankungen, die er zwischen 1637 und 1663 verfaßt hat und die zum Teil auch noch in Einzeldrucken erhalten sind, ist im Jahre 1666 erschienen.[6]

Dem allgemein üblichen Schema entsprechend haben die Leichabdankungen von Gryphius nicht den Charakter einer Lobrede, sondern bestehen aus einer Reihe von Betrachtungen und allegorischen Variationen über ein Thema, das der Dichter in eine sinnreiche Beziehung zur Person des Verstorbenen bringt. Es ist entweder der Name, das Wappen, der Beruf, das Lebensalter oder die persönliche Situation des Toten, auf die das jeweilige Thema anspielt. So nennt er seine Rede auf Schönborner *Brunnen Discurs* (Born = Brunnen). In einer anderen Abdankung vergleicht er den schwedischen Oberkommissar Müller, der ein Jahr nach Friedensschluß starb, mit einem Stern in der Nacht. In der Nacht des Krieges habe er dem betrübten Vaterland gedient, bei „auffgehender Morgenröthe des Friedens" sei er untergegangen. Der Adler im Wappen der Familie Stosch ist der Grund für die Wahl des Leitsatzes *Flucht der Menschlichen Tage*. Denn so wie der Adler „verfleuget" auch unser Leben. Als Elisabeth Textor kinderlos starb, beklagte Gryphius sie in einer Abdankung *Seelige Unfruchtbarkeit*. Komplizierter ist die Begründung des Themas *Ausländische in dem Vaterland* der Abdankung auf Barbara Hoffmann. Die Verstorbene hatte in jungen Jahren ihre Heimat verlassen und erkannte sie, als sie kurz vor ihrem Tode zurückkehrte, wegen der vielen Zerstörungen nicht mehr wieder. Sie fühlte sich wie eine „Ausländische". Gryphius fügt hinzu: Wir alle sind Ausländische in unserem Vaterland, denn unser eigentliches Vaterland ist das Jenseits.

Der gewählte Leitsatz wird in der Abdankung dann im einzelnen variiert. Durch eine Reihe geschichtlicher Beispiele, Zitate und Allegorien, die der Dichter anführt, entsteht ein buntes und reiches rhetorisches Mosaik. Die Person des Verstorbenen tritt dabei jedoch ganz zurück. Sie wird zwar einige Male erwähnt, ist aber im Grunde nur der Anlaß für die gelehrt-fromme Betrachtung über das gewählte Thema. Biographische Angaben enthalten die Leichabdankungen kaum. Bei bekannten Persönlichkeiten schrieb man zusätzlich einen Lebenslauf. Jegliche Subjektivität wurde in den Leichabdankungen vermieden. Das entspricht auch der darin vorherrschenden Allegorik, der das Objektive gemäß ist.

Eine Ausnahme hiervon ist der *Brunnen Discurs*, in dem Gryphius den Lebenslauf seines Gönners in den Text der Abdankung einflocht. Die allgemeinen, gelehrten und quellenmäßig belegten Exempel werden den einzelnen Lebensepisoden des Verstorbenen, das Allegorisch-Objektive wird dem Persönlich-Subjektiven gegenübergestellt. Die tiefe Erschütterung und persönliche Trauer des einundzwanzigjährigen Dichters kommt hier deutlich zum Ausdruck.

Die Gefahr der auf das Allgemeine gerichteten Leichabdankungen ist, daß die Aneinanderreihung von Allegorien, Beispielen und Emblemen sich nicht zu einem Ganzen zusammenschließt, sondern in einzelne, weitgehend selbständige Teile zerfällt. Gryphius entgeht dem dadurch, daß in allen seinen Leichabdankungen, unabhängig von dem besonderen Thema, die Vergänglichkeitsidee vorherrscht und der versammelten Trauergesellschaft aus den verschiedensten Perspektiven vorgeführt und gedeutet wird. Das ganze technische Können des Dichters konzentriert sich also auf die „allmächtige" Lehre von den letzten Dingen, nicht auf die Schilderung der Persönlichkeit des Verstorbenen. Seine rhetorische Kunst ist erstaunlich, und stets bemüht er sich um ein reines Deutsch. Die Zitate und Quellennachweise zeugen von großer Belesenheit und ergänzen das Bild von Gryphius, das uns seine Dichtung vermittelt hat.[7]

Wenn wir das vielseitige Werk des Dichters zusammenfassend betrachten und es auf seine Lebensfähigkeit prüfen, dann stellen wir fest, daß das Bleibende und Wertvolle seiner Dichtung auf der tiefen Wahrhaftigkeit der Aussage und auf seiner formal-künstlerischen Meisterschaft beruht. Ihre Grundstimmung wurde von seinen schweren persönlichen Schicksalen und von den ungünstigen politischen und gesellschaftlichen Verhältnissen geprägt, in denen er lebte. Sie setzten seinem Schaffen zugleich gewisse Grenzen.

# ANMERKUNGEN

*Biographie*

1  H. Schöffler, Deutscher Osten im deutschen Geist. Von Martin Opitz zu Christian Wolff. Frankfurt a. M. 1940, S. 239, 240
2  M. Wolański, Handel Śląska z Rzeczpospolitą w 17 wieku. Wrocław 1961
3  In einem Bericht über die Glogauer Unruhen des Jahres 1615 heißt es: „Daß ists denn, was die Redlinsführer suchen, nämlich die Regierung, vnd respect vom gemeinen Manne: Mit dem sie der Obrigkeit durch den Sinn fahren, vnd alle gutte Gesetze, Ordnung vnd Sitten zertreten können. Vnnd das ist die Freyheit des Pöbels: Daß sie vnter solchen Buben ‚thun mögen was sie wollen.“ (Gründlicher Bericht, Von der Ober-Glogawischen Rebellion, Welche wider den Wohlgeborenen Herrn, Herrn Georg von Oppersdorff . . . Jm anno 1616 vorgenomben, Seithero continuirt, vnd jtzo zu Rechtlichem Entscheid auff eine vnparteyliche Comission gestellet, Auch hiermit zu Jedermännigliches vnpassionirtem Judicio publiciert worden Jm Jahr Christi 1625.)
4  Aus der Widmung zu „Coridon et Phyllis“. In: Daniel Czepko, Weltliche Dichtungen. Hrsg. von W. Milch. Breslau 1932, S. 9
5  In der Vorrede zu dem polnischen Kirchengesangbuch, das im Jahre 1673 in Brieg gedruckt wurde, lesen wir, daß sich die polnische Bevölkerung Schlesiens schon seit Jahren der in Thorn, Danzig und Königsberg veröffentlichten polnischen Kirchengesangbücher bediente. S. auch M. Szyrocki, Polnische Schriftsteller der Renaissance und Deutschland. In: Aufbau. April 1955, H. 4, S. 301 ff.; und M. Szyrocki und Z. Żygulski, Silesiaca. Warszawa 1957
6  Glogovia incinerata. Oder warhafftige vnd aigentliche Beschreibung. Der geschwinden vnd gantz schrecklichen Fewerß-Brunst zu Grossen Glogaw, Jn welcher den 28. Julii, des verlauffenen 1615. Jahres, jnnerhalb dreyen Stunden, die gantze Wolerbawete vnd Volckreiche Stadt, sampt der Polnischen Vorstadt, jämmerlich verwüstet, vnd in die Asche geleget worden. Beyneben: Was sich vor: vnd nach dem Brande mehr Denckwürdiges verlauffen vnd zugetragen. Alles . . . in Deutsche Rythmos verfasset vnd gestellet. Durch Eliam Langium S. Röm: Kay: Mayt: Zoll vnd Biergeldes Vnter-Einnehmer daselbst . . . Gedruckt zur Lignitz, in Nicolai Schneiders Druckerey durch Joachim Funckem, Buchdruckern zu Groß Glogaw (1616). Univ. Bibl. Wrocław, Sign. 4 V 43/4 Bl. 5
7  Aristarchus . . . Auctore Martino Opitio. Neuausgabe: G. Witkowski. Leipzig 1888. Witkowski veröffentlichte gleichzeitig eine deutsche Übersetzung der Schrift.
8  Ebenda, S. 106
9  Joanne Miller S. J., Historia Collegii Glogowiensis Societatis Jesu. Anno 1723. Abgedruckt in: Festschrift zur Dreihundertjahrfeier 1626–1926 des

Staatlichen Katholischen Gymnasiums in Glogau. Breslau 1926, S. 18. (In deutscher Übersetzung)

10 T. Wotschke, Das Lissaer Gymnasium am Anfang des XVII. Jhs. In: Zeitschrift d. Hist. Gesellschaft für die Provinz Posen. Jg. XXI (1906), Bd. 2, S. 18. – C. D. Klopsch, Geschichte des ehemaligen berühmten Gymnasiums zu Beuthen a. d. Oder. Breslau 1784–1788. Im letzten Teil dieses Buches werden die Biographien aller Professoren des Beuthener Gymnasiums angeführt.

11 Ebenda, S. 114, 119, 154, 175

12 Die Biographen von Gryphius Stosch und Leubscher sind sich über dieses Datum einig. In den Werken des Dichters finden wir dagegen einige Male die Angabe 11. Oktober, da die römische II durch den Drucker als arabische 11 gelesen wurde.

13 Gründlicher Bericht . . ., a.a.O.

14 Andreas Gryphius, Vermischte Gedichte. Tübingen 1964. S. 128

15 Verleumder, Neider vergleicht Gryphius gern mit Schlangen, die „mit ihrem natterngifft . . . besprützen". Vgl. auch das Sonett *An einen falschen Zwey-züngeler* (1637).

16 R. Berndt, Geschichte der Stadt Groß-Glogau während der ersten Hälfte des XVII. Jahrhunderts. Groß-Glogau 1879, S. 70 ff.

17 E. Gnerich, Andreas Gryphius und seine Herodes-Epen. Leipzig 1906, S. 118

18 Leubscher, Schediasma de claris Gryphiis. Brigae 1702, S. 47

19 F. Minsberg, Geschichte der Stadt und Festung Großglogaus. Glogau 1853, Bd. 2, S. 94

20 B. S. Stosch, Last- und Ehren- auch daher immer bleibende Danck- und Denck-Seule . . . A. Gryphii. Leipzig 1665, S. 24 f.

21 Ebenda, S. 25

22 Ebenda, S. 25

23 Fewrige Freystadt. Lissa 1637, S. 54 ff.

24 Regio Viventium . . . Bey . . . Leichbestattung Des Herren Friedrichen von Niemtzsch . . . Welcher den 22. Aprilis, des 1637 Jahres . . . eingeschlaffen, vnd den 8. Julij . . . beygesetzet durch M. Paulum Gryphium. Pol. Lissa, bei Wigand Funcken (1638).

25 Stosch, a.a.O., S. 26. Gryphius bezog das Gymnasium am 3. Juni 1632 und nicht 1631, wie Stieff und Manheimer behaupten, denn im Jahre 1631 war Rolle noch nicht in dieser Stadt.

26 Desiderium oculorum Oder Augen-Lust . . . zu Ehren-Gedächtnuß Der . . . Mariae Gebohrenen Rißmannin . . . Johanne Vechnero Fraustadiense ibidem Diacono. Gedruckt zur Polnischen Lissa, durch Wigandum Funck (1637), S. Aij^bc.

27 Ebenda, S. Aijd.

28 M. Szyrocki, Der junge Gryphius. Berlin 1959, S. 33 f.

29 Stosch, a.a.O., S. 26

30 Ebenda, S. 27

31 Ebenda, S. 28

32 Die Tagebücher wurden im lateinischen Original und in polnischer Übersetzung 1950 und 1953 in zwei Bänden veröffentlicht. Bd. 2, der die Zeit
vom 5. 2. bis zum 22. 8. 1636 umfaßt, war bisher nur als Manuskript vor-
handen. K. Ogier, Dziennik podróży do Polski 1635–1636. Gdańsk, T. 1
1950 und T. 2 1953

33 Ebenda

34 Ebenda; Pamiętniki Albrychta Stanisława X. Radziwiłła . . . wydanie z
rękopisu przez Edwarda Raczyńskiego, Poznań 1839, S. 290, 294.

35 Brief Nüßlers an Buchner, geschrieben aus Brieg am 21. Juni 1636. Cl.
Viri Augusti Buchneri Epistolarum Partes Tres . . . Francof. et Lipsiae
1707.

36 T. Hirsch, Geschichte des Academischen Gymnasiums in Danzig. Danzig
1837

37 *Uber den Tod seines Kindes Anno 1638.* (Sonette, Buch II, 36).

38 Opitz siedelte erst nach Gryphius' Heimkehr aus Thorn nach Danzig
über. Doch war er auch schon vorher einige Male in der Hafenstadt, um
dienstliche oder persönliche Angelegenheiten zu regeln.

39 A. Gryphii Leich-Abdanckungen. Leipzig 1666, S. 581, 640

40 V. Manheimer, J. Plavius. Ein Danziger Sonettist. In: Mitteilungen des
westpr. Gesch. Ver., 1903, 2. Jg.

41 M. Szyrocki, Der junge Gryphius. S. 80 f.

42 E. Gnerich, Andreas Gryphius. a.a.O., S. 182

43 Stosch, a.a.O., S. 29

44 Ebenda

45 M. Szyrocki, Der junge Gryphius. S. 113 ff.

46 Lissaer Sonette, XIII

47 *Fewrige Freystadt,* a.a.O., S. 12 f.

48 J. T. Leubscher, a.a.O., S. 55 ff.

49 Wieder abgedruckt in Gryphius' *Dissertationes Funebres.* Leipzig 1666,
Nr. 1.

50 Sonette aus dem Nachlaß, XXVI.

51 Stosch, a.a.O., S. 30 f.

52 Ebenda, S. 31. Am selben Tage wurden als Studenten der Jurisprudenz
Franz Friedrich, Georg Friedrich und Johann Christoph von Schönborn in
das Leidener „Album Academicum" eingetragen.

53 Gottfried Hegenitius, Itinerarium Frisio-Hollandicum. Leyden 1628, S.
105 ff.; Martin Zeiller, Beschreibung deß Burgundisch- vnd Niederländi-
schen Craises. Frankfurt a. Main 1654, S. 143

54 Stosch, a.a.O., S. 31

55 Ebenda, S. 32, 33

56 Leubscher, a.a.O., S. 59

57 Richard Bakers . . . Betrachtungen über Das Gebett des Herren. Verdol-
metschet durch Andream Gryphium. Leipzig 1663, S. 11

58 A. Gryphius, Sonette. Tübingen 1963, S. 64

59 Stosch, a.a.O., S. 35

60 A. Gryphius, Sonette. Tübingen 1963, S. 87

61 Die Beziehungen zwischen Venedig und den Stuarts, mit denen Gryphius sympathisierte, waren sehr herzlich, seitdem Sir Henry Wotton zur Zeit James I. englischer Botschafter in dieser Stadt war. Powell vermutet, daß Gryphius eine Botschaft der Stuarts, die in Holland im Exil lebten, zu überbringen hatte und dadurch in den Senat eingeführt wurde. Diese Vermutung scheint uns ziemlich unglaubhaft, da Gryphius sich dann doch auf einem kürzeren Wege in die Lagunenstadt begeben hätte. Andreas Gryphius, Carolus Stuardus. Hrsg. von H. Powell. Leicester 1955, S. XXXIII

62 A. Gryphius, Sonette. Tübingen 1963, S. 244

63 Stosch, a.a.O., S. 37

64 Ebenda, S. 37 f. H. Plard meint dazu: Nach der lateinischen Vorrede des *Carolus Stuardus* war es vor allem Gottfried Textor zu verdanken, daß Gryphius die Berufungen an ausländische Universitäten abschlug und sich in Glogau niederließ. „Hinc quotiescunque data occasio, extollere tu, amicum, conciliare mihi tum viros maximos, alia denique et nova exilia cogitanti, injicere manum et excutere animo desiderium eorum, ad quae tum in remota late loca vocabar. Imputent alii suis in me studiis, quod patria me retineat, dum constet incitamento te fuisse, illis ut me legerent, mihi ut haererem." Textor war „Lygio-Bregensis ac Wolawiensis Secretarius", also Sekretär der Piastenherzöge von Liegnitz, Brieg und Wohlau; mir scheint es wahrscheinlich, daß er dem jungen, begabten, überzeugten Protestanten die Schlüsselstellung eines Syndikus der Landstände verschaffte – im Zusammenhang mit der Widerstandspolitik der reformierten Piastenherzöge gegen die von Wien aus ferngeleitete Gegenreformation in Schlesien. Wenn Stosch sich auf einen Hinweis beschränkt („umb gewissen Ursachen"), so wohl aus dem Grund: im Jahre 1664 durfte er die schlesischen Katholiken nicht irritieren; die Eingeweihten werden sowieso die Anspielung verstanden haben.

65 Der Landessyndikus war der rechtskundige Vertreter der Landstände des Fürstentums, also des Landadels, was natürlich eine Zusammenarbeit mit den Städten des Fürstentums nicht ausschloß.

66 Der gedruckte Protokollauszug der Städteversammlung vom 13. 12. 1652 über den Beschluß der Drucklegung der Glogauischen Privilegien ist in allen mir zugänglichen Exemplaren des Buches von Gryphius eigenhändig unterschrieben worden.

67 Einen Auszug daraus gab in deutscher Übersetzung C. Stieff in: Schlesisches Historisches Labyrinth . . . Breßlau 1737, S. 605 ff.

68 V. Manheimer, Die Lyrik des Andreas Gryphius. Berlin 1904, S. 249 f.

69 F. W. Berthold, Geschichte der Fruchtbringenden Gesellschaft. Berlin 1848. Gryphius wurde im Stammbuch unter der Nummer 788 eingetragen.

70 Andreae Gryphii Deutscher Gedichte Erster Theil. Breßlau . . . 1657; Andreae Gryphii Freuden und Trauer-Spiele auch Oden und Sonette . . . Leipzig . . . 1663

71 Siehe Gryphius-Bibliographie: M. Szyrocki, Der junge Gryphius. Berlin 1959

72 Stosch, a.a.O., S. 47. Auch diese Zeitangabe bestätigt, daß Gryphius am 2. X. 1616 und nicht am 11. X. 1616 geboren wurde.
73 Leubscher, a.a.O., S. 66
74 C. Stieff, Andreae Gryphii Lebenslauf. In: Schlesisches Historisches Labyrinth . . . Breslau 1737, S. 817
75 Ebenda, S. 819 f.
76 A. Gryphius, Sonette. Tübingen 1963, S. 70 f.
77 C. Stieff, a.a.O., S. 819

*Lateinische Dichtung*

1 Stosch, a.a.O., S. 27
2 . . . Glogoviae M. Literis Wigandi Funcij.
3 Flavius Josephus (37 – um 100), jüdischer Feldherr, dann in Römischer Gefangenschaft. Günstling des Vespasian und Titus. Er schrieb eine Geschichte des jüdischen Krieges und eine jüdische Archäologie.
4 T. H. Wotschke, Das Lissaer Gymnasium am Anfange des XVII. Jahrhunderts. Posen 1906, S. 12
5 E. Gnerich, Andreas Gryphius und seine Herodes-Epen. Breslauer Beiträge zur Lit. Gesch. 2. Leipzig 1906. Gnerich bringt auch die deutsche Übersetzung der Epen.
6 F. W. Wentzlaff-Eggebert, Dichtung und Sprache des jungen Gryphius. Die Überwindung der lateinischen Tradition und die Entwicklung zum deutschen Stil. Abh. d. Preuß. Akad. d. Wissensch. phil.-hist. Klasse 7. Berlin 1936
7 Gnerich, a.a.O., S. 156
8 Auch in den Lissaer Sonetten kommt der 7 eine besondere Bedeutung zu.
9 Gnerich, a.a.O., S. 203 f.
10 Ebenda, S. 173
11 Ebenda, S. 174 f.
12 Ebenda, S. 164
13 Parnassus . . . virtute . . . domini Georgii Schönborneri a Schönborn . . . renovatus. Herôo Carmine recensebat. Andreas Gryphius. Dantisci, Typis Rhetianis.
14 Einige von ihnen sind datiert.
15 Sie erschienen in einer Sammlung von Gratulationsgedichten Acclamationes votivae congratulantes Novis Theologicis honoribus . . . Dn. Pauli Gryphii.
16 Andreae Gryphii Epigrammatum. Liber I. Widmung datiert: Lugduni Batavorum propridie Id. Maij, A.° MDCXLIII.
17 Wentzlaff-Eggebert, Dichtung . . . a.a.O., S. 47 ff.
18 Manheimer, a.a.O., S. 171
19 Andreae Gryphii Olivetum Libri tres. Auf dem letzten Blatt: Florentiae, Ex Typograph. Franceschinia, et Log . . . MDCXXXXVI. Superiorum Permissu.
20 Leubscher, a.a.O., S. 61 f.

1 Eine kurze bibliographische Beschreibung der Gedichtausgaben bringe ich in den Einleitungen zu den einzelnen Lyrik-Bänden der Gesamtausgabe der deutschsprachigen Werke von Andreas Gryphius. Tübingen 1963 und 1964.

2 Lobgesänge XIV, 18

3 Manheimer, a.a.O., S. 7. Der Verfasser bringt in seinem materialreichen Buch eine eingehende Analyse der Lyrik von Gryphius.

4 Martin Opitz, Buch von der Deutschen Poeterey. Hrsg. von R. Alewyn. Tübingen 1963, S. 34

5 Manheimer, a.a.O., S. 18. Dagegen E. Trunz, Die Entwicklung des barocken Langverses. Dichtung und Volkstum 39, 1938, S. 427–468

6 So z. B. im Sonett *Mitternacht* (Buch II, IV, 14), das nach dem Schema geschrieben wurde:

$$ - \smile \smile \ | \ - \smile \smile \ | \ - \smile \smile \ | \ - \smile \ | $$

bilden die Worte im Versinnern eigentlich im gewissen Sinn Amphibrachen:

$$ - \smile \ | \ \smile - \smile \ | \ \smile - \smile \ | \ \smile - \smile \ | $$

sonder | vermänteln | eröffnet | sich finden |

7 Vgl. Lesarten in der Gryphius-Ausgabe, Tübingen 1963 f.

8 Manheimer, a.a.O., S. 32 ff. Vgl. auch G. Fricke in: Die Bildlichkeit in der Dichtung des Andreas Gryphius. Berlin 1933

9 Ebenda, S. 39

10 Vgl. G. Fricke, a.a.O., S. 110 ff.

11 Manheimer, a.a.O., S. 193 f. Auch Fricke sieht in der Vanitas „eine der wenigen Stellen . . ., an denen das persönliche Erlebnis des Dichters, trotz aller objektivistischen und nivellierenden Einordnung in die stilistische Konvention bis in die Gestaltung seines Werkes hinein greifbar wird." a.a.O., S. 118

12 S. Streller, Grimmelshausens Simplicianische Schriften. Allegorie, Zahl und Wirklichkeitsdarstellung. Berlin 1957, S. 74 ff.

13 Drucker und Druckort werden erst am Ende des Büchleins angeführt. Es ist vielleicht auch kein Zufall, daß das Büchlein 70 Seiten zählt.

14 Ausführlicher behandle ich die Zahlenkomposition in dem Buch „Der junge Gryphius".

15 Ebenda, S. 84 ff., S. 126 ff.

16 M. Opitz, Buch von der Deutschen Poeterey. a.a.O., S. 41

17 A. Gryphius, Sonette. Tübingen 1963, S. 22

18 Erich Trunz, Andreas Gryphius. In: Die deutsche Lyrik. Hrsg. von Benno von Wiese. Düsseldorf 1957, Bd. 1, S. 147 f.

19 Es sind die Sonette: 3, 16, 32, 41, 42, 43, 44, 45, 46, 47, 49

20 Lissaer Sonette 20, 21 (Neue Fassung Sonette, Erstes Buch 20, 21) Sonette. Erstes Buch 42, Sonette. Zweites Buch 8, Sonette aus dem Nachlaß 64, 65, 66, 67, 68, 69, 70. Epigramme (1643) 34, 35, 36, 37, 38, Epigramme,

Zweites Buch (1663) 27, 29, 30, 31, 32; Epigramme, Drittes Buch (1663) 89
21  Manheimer, a.a.O., S. 184
22  In den Sonntagssonetten beträgt das Verhältnis noch 5 : 3, in den Feiertagssonetten 4 : 1
23  Geschichte der deutschen Literatur 1600 bis 1700 von Joachim Boeckh, Günter Albrecht, Kurt Böttcher . . . Berlin 1962, S. 224
24  A. Gryphius, Sonette. Tübingen 1963, S. 243
25  Oden. Erstes Buch 1, 2, 3, 6, 10. Zweites Buch 1, 6, 11. Drittes Buch 1, 3, 4, 6. Die Oden 2 des zweiten Buches und 10 und 12 des dritten Buches weisen einen zweiteiligen Bau (Chor, Gegenchor) auf. Außerdem schrieb Gryphius noch zwei pindarische Begräbnisoden (Vermischte Gedichte, Tübingen 1964, S. 125, 131). Vgl. auch K. Viëtor, Geschichte der deutschen Ode. München 1923, S. 78 ff.
26  K. Viëtor, a.a.O., S. 81
27  J. Mützell, Geistliche Lieder der evangelischen Kirche aus dem siebzehnten und der ersten Hälfte des achtzehnten Jahrhunderts von Dichtern aus Schlesien und den umliegenden Landschaften verfaßt. Braunschweig 1858 ff.
28  Z. B. Epigramm 60, 86
29  M. Opitz, Buch . . ., a.a.O., S. 21
30  E. Urban, Owenus und die deutschen Epigrammatiker des XVII. Jahrhunderts. Berlin 1900; R. Levy, Martial und die deutsche Epigrammatik des siebzehnten Jahrhunderts. Stuttgart 1903
31  Die vollkommene Abwertung der Epigramme von Gryphius durch Manheimer und Wentzlaff-Eggebert trifft eigentlich nur die freien Übersetzungen der lateinischen Epigramme.
32  M. Szyrocki, Der junge Gryphius. a.a.O., S. 44 ff.
    K. O. Conrady, Lateinische Dichtungstradition und deutsche Lyrik des 17. Jahrhunderts. Bonn 1962, S. 222 ff.
33  A. Gryphius, Vermischte Gedichte. Tübingen 1964, S. 153, 157
34  A. Gryphius, Sonette. Tübingen 1963, S. 22 ff.
35  A. Gryphius, Vermischte Gedichte. a.a.O., S. 182, 189
36  Himmel Steigente Hertzens Seufftzer, Ubersehen und mit newen Reimen gezieret von Andrea Gryphio. Breßlau, bey Veit Jacob Treschern. Anno 1665.


*Trauerspiele*


1  Auch das Interesse der Forscher gilt vor allem dieser Tragödie. Siehe Literaturverzeichnis.
2  E. Lunding, Das schlesische Kunstdrama. Kobenhavn 1940, S. 78. Diese These hat früher schon Fricke aufgestellt, a.a.O., S. 111 ff.
3  W. Mawick, Der anthropologische und soziologische Gehalt in Gryphius' Staatstragödie „Leo Armenius". Gütersloh 1935, S. 56
4  H. Plard, De heiligheid van de koninklijke macht in de tragedie van

Andreas Gryphius. In: Tijdschrift van de Vrije Univers. van Brussel 2 (1960), S. 202–229; H. Plard, La sainteté du pouvoir royal dans le „Leo Armenius" d'Andreas Gryphius (1616–1664). Auszug aus „Le pouvoir et le sacré". Bruxelles o.J., S. 159–178

5 Ebenda, S. 166 ff.
6 K. Viëtor glaubt dagegen: „Die dreiteiligen Chorlieder in seinen [Gryphius] Trauerspielen haben nur das Schema mit der pindarischen Ode gemeinsam". a.a.O., S. 83
7 W. Harring, Andreas Gryphius und das Drama der Jesuiten. Halle 1907. Im dritten Kapitel vergleicht der Verfasser die Tragödie mit dem Stück Leo Armenus von Joseph Simon (Roth).
8 H. Kappler, Der barocke Geschichtsbegriff bei Andreas Gryphius. Frankfurt a. M. 1936, S. 37
9 Ebenda, S. 31
10 J. Kott, Szkice o Szekspirze. Warszawa 1961, S. 9 ff.
11 W. Harring, a.a.O., S. 53 ff.
12 W. Schieck, Studien zur Lebensanschauung des Andreas Gryphius. Greifswald 1924, S. 102 f.
13 Die Meinungen der Forscher gehen in diesem Punkt stark auseinander. Bezeichnend ist, daß A. Schöne in seiner Auswahl der Barockdichtung (1963) den Leo Armenius druckt.
14 W. Flemming, Andreas Gryphius und die Bühne. Halle 1921
15 Als Quelle benutzte Gryphius die Histoire de Catharine Reyne de Georgie et des Princes Georgiens mis a mort par commandement de Cha Abas Roy de Perse von Sieur de Saint-Lazare alias Claude Malingre (1580 bis 1653). Z. Żygulski, Andreas Gryphius' „Catharina von Georgien" nach ihrer französischen Quelle untersucht, Lwów 1932. Gryphius beruft sich auf Sieur de Saint-Lazare in der Leichabdankung Folter Menschliches Lebens, S. 344.
16 Vgl. H. Steinberg, Die Reyen in den Trauerspielen des Andreas Gryphius. Diss. Göttingen 1914
17 Mit der „Bildlichkeit in der Dichtung des Andreas Gryphius" beschäftigt sich Gerhard Fricke in der bereits zitierten Arbeit. Dagegen sind die Zusammenhänge zwischen der Emblematik und der Dichtung des 17. Jahrhunderts nahezu völlig unerforscht. Eine Untersuchung zu diesem Thema wird demnächst Albrecht Schöne bei C. H. Beck in München herausgeben.
18 Dadurch nämlich wird der exemplarische Wert der Dichtung gesteigert. – P. B. Wessels, Das Geschichtsbild im Trauerspiel „Catharina von Georgien". s'Hertogenbosch 1960
19 Darüber schreibt Hugh Powell in der Einleitung zu seiner Neuausgabe des Carolus Stuardus. Leicester 1955, S. LXXXIII ff.
20 Albrecht Schöne, Säkularisation als sprachbildende Kraft. Studien zur Dichtung deutscher Pfarrersöhne. Göttingen 1958, S. 29–75. (Palaestra Bd. 226)
21 Ebenda, S. 67, S. 65
22 M. Hippe, Aus dem Tagebuch eines Breslauer Schulmannes im 17. Jahr-

hundert. In: Zeitschrift des Vereins für Geschichte Schlesiens, Bd. 6, 1902. Leider kennen wir die Titel der Stücke nicht.

23 O. Nuglisch, Barocke Stilelemente in der dramatischen Kunst von Gryphius und Lohenstein. Diss. Breslau 1928, S. 8

24 Es sei hier an die Herausgabe der Landesprivilegien des Fürstentums Glogau durch Gryphius erinnert.

25 Vgl. H. Heckmann, Elemente des barocken Trauerspiels am Beispiel des „Papinian" von Andreas Gryphius. München 1959, S. 215

26 Jean F.-A. Ricci, Cardenio et Célinde. Etude de littérature comparée. Paris 1947

27 M. Opitz, Buch ..., a.a.O., S. 20

28 Andreas Gryphius, Cardenio und Celinde. Hrsg. von Hugh Powell. Leicester 1961, S. LIX

29 H. Steinberg, a.a.O., S. 81 ff.

30 Ebenda, S. 81

31 Ebenda, S. 85

32 O. Nuglisch, a.a.O., S. 16 ff.

33 Auf dem Titelblatt des Exemplars der Universitätsbibliothek Wrocław befindet sich die handschriftliche Eintragung des Dichters: Andreae Gryphii musis sacer. A 1634.

34 Vondel wurde wegen seiner Sympathie für die Arianer und später wegen seines Übertritts zum Katholizismus heftig angegriffen.

35 M. Hippe, a.a.O.; J. C. Arletius, Historischer Entwurf von den Verdiensten der evangelischen Gymnasiorum um die deutsche Schaubühne. Breslau 1762. – Vgl. auch W. Flemming, a.a.O., S. 244 ff.

36 Ebenda, S. 247

37 Der Sterbende Aemilius Paulus Papinianus Trauer-Spiel. Von einer Jungen Burgerschafft Der Statt St. Gallen etliche mahl auff offentlichem Schau-Platz gehalten. Jm Herbstmonat deß 1680. Jahrs. St. Gallen. Gedruckt durch Jacob Redinger. Zu finden bey Jacob Hochreutiner Bb. MDC LXXXI.


*Lustspiele*

1 F. Gundolf, Andreas Gryphius. Heidelberg 1927, S. 47 ff. – Eine interessante Untersuchung des *Squenz*, des *Horribilicribrifax* und des Doppelspiels verdanken wir E. Mannack, Andreas Gryphius' Lustspiele – ihre Herkunft, ihre Motive und ihre Entwicklung. In: Euphorion Bd. 58, 1964, S. 1–40

2 Siehe Gryphius-Bibliographie in: M. Szyrocki, Der junge Gryphius. a.a.O., S. 155 ff.

3 M. Hippe, a.a.O. – Vgl. auch die Einleitung von H. Powell zu seiner Ausgabe des Squenz. Leicester 1957

4 M. Szyrocki, Der junge Gryphius, a.a.O., S. 126 ff. Auch im *Horribilicribrifax* finden wir eine deutliche Anspielung auf die Zahlenkomposition. Horribilicribrifax. Halle 1883, S. 68 unten

5 W. Hinck, Gryphius und die italienische Komödie. In: GRM. NF XIII, 1963. – E. Mannack weist mehrmals auf die Beziehungen zwischen den Tragödien und Komödien des Gryphius hin und sieht Ähnlichkeiten zwischen *Cardenio und Celinde* und *Horribilicribrifax*, a.a.O., S. 20 ff.

6 Neben französischen, italienischen, lateinischen Sätzen kommen in dem Stück griechische, hebräische, spanische, tschechische und holländische Wendungen und Worte vor.

7 E. Mannack weist auf die „Adaption von Themen und Motiven aus dem Trauerspiel ‚Cardenio und Celinde' [hin], mit der der Autor des ‚Verliebten Gespensts' Begebenheiten der frühen Tragödie parodiert." a.a.O., S. 37 ff.

8 Das Thema vom totgeglaubten Geliebten, der wieder zum Leben erwacht, wird schon in Tassos *Aminta* verwendet.

9 Annales Glogovienses, Glogau 1775 ff.

10 Das Freudenspiel weist eine Thematische Verwandtschaft mit den Friedensstücken von Johann Rist auf: Überwindung des Mars, freches Auftreten des verkrüppelten Soldaten.

11 Vgl. M. Szyrocki u. M. Żygulski, Silesiaca. Warszawa 1957

12 W. Flemming glaubt irrtümlich, daß das Stück „am 29. 9. 1660 auf dem Residenzschloß zu Brieg" zum Geburtstag des Herzogs Georg III. (4. 9. 1611 – 4. 7. 1664) aufgeführt wurde.

13 Der Schwermende Schäfer Lysis, Auf Deß Durchlauchten hochgebornen Fürsten und Herren, Herren Georg Wilhelm Herzogens in Schlesien zur Lignitz, Brieg und Wohlau, Höchsterfreulichen Geburtstag / welcher ist der 29. September Anno 1660. / vorgestellet in einem Lust-Spiele auf der Fürstlichen Residenz in Olau, Den 29. September Anno 1661. Jn der Fürstlichen Residentz Stadt Brieg, Druckts Christoff Tschorn.

14 Den Anlaß zur Veröffentlichung soll die außerordentliche Verdorbenheit des Hausgesindes nach dem dreißigjährigen Krieg gegeben haben. Gryphius selbst schrieb die Tragödie seiner Tochter Anna Rosina, die wie schon erwähnt im 5. Lebensjahr zum Krüppel wurde, einer Hausgehilfin zu, und zwar einer „von den Eltern des Dienstes entlassenen Weibsperson, welche das Kind vorher heftig geliebt, sich aber dessen merklich überhoben, allen Trotz und Mutwillen ausgeübt, und ihr das Vortuch weggenommen."

*Prosa*

1 Eine Neuausgabe der Prosaschriften wird innerhalb der Gesamtausgabe der deutschsprachigen Werke von Andreas Gryphius erscheinen.

2 Vergleiche S. 27

3 Veröffentlicht von Stieff, a.a.O., S. 800 ff.

4 A. Gryphius, Fewrige Freystadt, a.a.O., S. 14

5 Dann folgt noch ein Gedicht auf den Stadtbrand. Siehe A. Gryphius, Vermischte Gedichte. Tübingen 1964, S. 171

6 Mit den Leichabdankungen von Gryphius beschäftigt sich Fricke in dem Exkurs „Die rhetorische Prosa". a.a.O., S. 255 ff.

7 Nicht uninteressant für die Erforschung der deutschen Sprache von Gryphius sind auch seine Übersetzungen der *Betrachtungen über Das Gebet des Herren* (1663) und der Betrachtungen über die Psalmen (1687) des Engländers Richard Baker.

## LITERATURVERZEICHNIS

Bibicadze, A. (dt. Titel): A. Gryphius und seine Tragödie „Catharina von Georgien". Diss. Tbilissi 1950 (Thesen)

Biscardo, R.: Andreas Gryphius. Neapel 1936

Burg, F.: Über die Entwicklung des Peter-Squenz-Stoffes bis Gryphius. In: Ztschr. f. dt. Alt. u. dt. Lit. 25 (1881), S. 130 ff.

Clark, R.: Gryphius and the Night of Time. In: Festschrift für H. J. Weigand. New Haven 1957, S. 56 ff.

Conradt, E. E.: Barocke Thematik in der Lyrik des Andreas Gryphius. In: Neophilologus 40 (1956), S. 99 ff.

Conrady, K. O.: Die Intensivierung rhetorischer Formungen bei Andreas Gryphius. Lateinische Dichtungstradition und deutsche Lyrik des 17. Jahrhunderts, Bonner Arbeiten zur deutschen Literatur Bd. 4, Bonn 1962

Cysarz, H.: Andreas Gryphius und das literarische Barock. In: Das deutsche Wort N. F. 3, 11 (1935), Nr. 30, S. 4 ff.

Duruman, S.: Zum ‚Leo Armenius' des Andreas Gryphius. In: Studien z. dt. Sprache und Lit. Istanbul 2 (1955), S. 103 – 122

Du Toit, M. L.: Der Monolog und Andreas Gryphius. Wien 1925

Ermatinger, E.: Andreas Gryphius. Ein protestantischer Dichter der Barockzeit. In: Zeitwende 1 (1925)

—: Andreas Gryphius. Krisen und Probleme der neueren deutschen Dichtung. Wien 1928, S. 75 ff.

Faber du Faur, C. v.: A. Gryphius, der Rebell. In: Publications of the Modern Lang. Association of America 74 (1959), S. 14 ff.

Fein, N.: Die deutschen Nachahmer des Rüpelspiels aus Skakespeares Sommernachtstraum. Programm Brünn 1914

Feise, E.: „Cardenio und Celinde" und „Papinianus" von Gryphius. In: The Journal of English and Germanic Philology 44 (1945), S. 181 ff.

Flemming, W.: Andreas Gryphius und die Bühne. Halle 1921. (Diss. Marburg 1914)

—: Der Prolog zum „Hamlet" der Wandertruppen und Andreas Gryphius. In: Euphorion 24 (1922), S. 659 ff.

—: Die Form der Reyen in Gryphius' Trauerspielen. In: Euphorion 25 (1924)

—: Vondels Einfluß auf die Trauerspiele des Andreas Gryphius. In: Neophilologus 13 (1928), S. 266 ff.; 13 (1929), S. 107 ff.

Fricke, G.: Die Bildlichkeit in der Dichtung des Andreas Gryphius. Materialien und Studien zum Formproblem des dt. Literaturbarock, Berlin 1933

129

Friederich, W.: From Ethos to Pathos: the Development from Gryphius to Lohenstein. In: The Germanic Review 10 (1935), S. 223 ff.

Geisenhof, E.: Die Darstellung der Leidenschaften in den Trauerspielen des Andreas Gryphius. Diss. Heidelberg 1958 (Maschinenschr.)

Gilbert, M. E.: „Carolus Stuardus" by Andreas Gryphius. A contemporary Tragedy on the execution of Charles I. In: German Life and Letters N. S. 3 (1949/50), S. 81 ff.

—: Gryphius „Cardenio and Celinde". In: Mod. Lang. Rev. 45 (1950), S. 483 ff.

Gnerich, E.: Andreas Gryphius und seine Herodes-Epen. Breslauer Beiträge zur Lit. Gesch. 2, Leipzig 1906

Gundolf, F.: Andreas Gryphius. Heidelberg 1927

Haake, P.: Andreas Gryphius und seine Zeit. In: Archiv f. d. Studium d. Neueren Sprachen und Literaturen 103 (1899), S. 1 ff.

Harring, W.: Andreas Gryphius und das Drama der Jesuiten. Hermaea 5, Halle 1907

Hartmann, H.: Die Entwicklung des deutschen Lustspiels von Gryphius bis Weise (1648 — 1688). Diss. Potsdam, Päd. H. 1960 (Maschinenschr.)

Haug, W.: Zum Begriff des Theatralischen. Versuch einer Deutung barocker Theatralik ausgehend vom Drama des Andreas Gryphius. Diss. München 1952 (Maschinenschr.)

Heckmann, H.: Elemente des barocken Trauerspiels. Am Beispiel des „Papinian" von A. Gryphius. Darmstadt 1959

Heine, C.: Eine Bearbeitung des Papinian auf dem Repertoire der Wandertruppen. In: Ztschr. f. dt. Philologie 21 (1889), S. 280 ff.

Heisenberg, A.: Die byzantinischen Quellen von Gryphius „Leo Armenius". In: Ztschr. f. vgl. Lit. Gesch. N. F. 8 (1895), S. 439 ff.

Heselhaus, C.: Gryphius' Catharina von Georgien. In: B. von Wiese. Das deutsche Drama. Düsseldorf 1958, Bd. 1, S. 35 ff.

Hinck, W.: Gryphius und die italienische Komödie. Untersuchung zum „Horribilicribrifax". In: Germ.-rom. Monatsschrift 13 (1963), S. 120 ff.

Hippe, M.: Aus dem Tagebuche eines Breslauer Schulmannes im 17. Jahrhundert. In: Ztschr. d. Ver. f. Gesch. u. Alt. Schl. 36 (1902), S. 159 ff.

Hitziggrath, H.: Andreas Gryphius als Lustspieldichter. Programm Wittenberg 1885

Ihlenfeld, K.: Thränen des Vaterlandes. In: Poeten und Propheten. Witten 1951, S. 301 ff.

Jahn, F. W.: Über „Herodis Furiae et Rachelis lachrymae" von Andreas Gryphius. Nebst einigen Nachrichten über den Dichter. Programm Halle 15 (1883)

Jockisch, W.: Andreas Gryphius und das literarische Barock. Germanische Studien 89, Berlin 1930; Diss. Frankfurt a. M. 1929 (Teildruck)

Joos, H.: Die Metaphorik im Werk des Andreas Gryphius. Diss. Bonn 1956 (Maschinenschr.)

Kappler, H.: Der barocke Geschichtsbegriff bei Gryphius. Frankf. Quellen u. Forsch. z. germ. u. roman. Philologie 13. Frankfurt a. M. 1936

Kehl, H.: Stilarten des deutschen Lustspielealexandriners. Bausteine zur Gesch. d. neueren dt. Literatur 31, Halle 1931

Knorr, H.: Wesen und Funktionen des Intriganten im deutschen Drama von Gryphius bis zum Sturm und Drang. Diss. Erlangen 1951 (Maschinenschr.)

Knüppelholz, P.: Der Monolog in den Dramen des Andreas Gryphius. Diss. Greifswald 1911

Koch, M.: Volkskundliches bei Gryphius. In: Mitteilungen d. Schl. Ges. f. Volkskunde 13 (1911), S. 337 ff.

Koch, W.: Das Fortleben Pindars in der deutschen Literatur von den Anfängen bis Andreas Gryphius. In: Euphorion 28 (1927), S. 195 ff.

Kollewijn, R. A.: Gryphius „Dornrose" und Vondels „Leuwendalers". In: Archiv f. Lit. Gesch. 9 (1880), S. 56 ff.

—: Über den Einfluß des holländischen Dramas auf Andreas Gryphius. Heilbronn 1887. Diss. Leipzig 1880

—: Über die Quelle des Peter Squenz. In: Archiv f. Lit. Gesch. 9 (1880), S. 56 ff.

Krispyn, E.: Vondel's „Leeuwendalers" as a Source of Gryphius' „Horribilicribrifax" and „Gelibte Dornrose". In: Neophilologus 46 (1962), S. 134 ff.

Lazarus, G.: Die künstlerische Behandlung der Sprache bei Andreas Gryphius. Berlin 1932. Diss. Hamburg 1928

Leubscher, J. T.: Schediasma de claris Gryphiis, Brigae Sil. 1702

Liebe, J.: Die Deutung des Gotteswillens in der Religion und im Drama des Andreas Gryphius. Diss. Leipzig 1923 (Maschinenschr.)

Longin, F.G.: Volksglaube und Volksbrauch bei Andreas Gryphius. Diss. Prag 1926 (Maschinenschr.)

Lunding, E.: Assimilierung und Eigenschöpfung in den Lustspielen des Andreas Gryphius. In: Stoffe, Formen, Strukturen. Hrsg. v. A. Fuchs u. H. Mottekat. H. H. Borcherdt zum 75. Geburtstag. München 1962, S. 80 ff.

Manheimer, V.: Die Lyrik des Andreas Gryphius. Studien und Materialen, Berlin 1904, Diss. Göttingen 1903 (Teildruck)

Mannack, E.: Andreas Gryphius' Lustspiele – ihre Herkunft, ihre Motive und ihre Entwicklung. In: Euphorion 58 (1964), S. 1 ff.

Mawick, W.: Der anthropologische und soziologische Gehalt in Gryphius' Staatstragödie „Leo Armenius". Gütersloh 1935. Diss. Münster 1936

Meier, L.: Die Religiosität des Andreas Gryphius. Diss. Göttingen 1948

Meyer von Waldeck, F.: Der Peter Squenz und Andreas Gryphius, eine Verspottung von Hans Sachs. In: Vierteljahresschr. f. Lit.- u. Geistesgesch. 1 (1888), S. 195 ff.

Mönch, W.: Góngora und Gryphius. Zur Ästhetik und Geschichte des Sonetts. Romanische Forschungen 65 (1954), S. 300 ff.

Neubauer, K.: Zur Quellenfrage von Andreas Gryphius' Cardenio und Celinde. In: Studien zur vgl. Lit. Gesch. 2 (1902), S. 433 ff.

Neuß, F.-J.: Strukturprobleme der Barockdramatik. Andreas Gryphius und Christian Weise. Diss. München 1955 (Maschinenschr.)

Nuglisch, O.: Barocke Stilelemente in der dramatischen Kunst von Gryphius und Lohenstein. Diss. Breslau 1938

Pariser, L.: Quellenstudien zu Andreas Gryphius' Trauerspiel „Catharina von Georgien". In: Ztschr. f. vgl. Lit. Gesch. 5 (1892), S. 207

Paur, T.: Über den „Piastus" des Andreas Gryphius. In: Ztschr. d. Ver. f. Gesch. u. Alt. Schl. 2 (1858), S. 167

Plard, H.: De heiligheid van de koninklijke macht in de tragedie van Andreas Gryphius. In: Tijdschrift van de Vrije Univers. van Brussel 2 (1960), S. 202 — 229

—: La sainteté du pouvoir royal dans le „Leo Armenius" d'Andreas Gryphius (1616 bis 1664). In: Le pouvoir et le sacré, Bruxelles o. J., S. 159 ff.

—: Sur la jeunesse d'Andreas Gryphius. Études Germaniques 17 (1962), S. 34 ff.

Pott, C. K.: Holland-German Literary Relations in the 17 Century: Vondel and Gryphius. In: The Journal of English and Germanic Philology 47 (1948), S. 127 ff.

Powell, H.: Andreas Gryphius and the „New Philosophy". In: German Life and Letters. N. S. 5 (1951/52), S. 274 ff.

—: Gryphius, Princess Elisabeth and Descartes. In: Germanica Wratislaviensia, Wrocław 1960, Bd. 4, S. 63 ff.

—: Probleme der Gryphius-Forschung. In: Germanisch-romanische Monatsschrift 7 (1957), S. 328 ff.

—: The Two Versions of A. Gryphius' „Carolus Stuardus". German Life and Letters N. S. 5 (1951/52), S. 110 ff.

Ricci, A.: Cardenio et Celinde. Etude de littérature comparée. Paris 1947

Rühle, G.: Die Träume und Geistererscheinungen in den Trauerspielen des Andreas Gryphius und ihre Bedeutung für das Problem der Freiheit. Diss. Frankfurt 1952 (Maschinenschr.)

Runzler, W. T.: Die ersten Dramen des Andreas Gryphius nach ihrem Gedankengehalt untersucht. Diss. Erlangen 1929

Rüttenauer I.: Die Angst des Menschen in der Lyrik des Andreas Gryphius. In: Aus der Welt des Barock. Stuttgart 1957, S. 36 ff.

Schaer, A.: Die Peter-Squenz-Komödien. Die dramatischen Bearbeitungen der Pyramus-Thisbe-Sage in Deutschland im 16. und 17. Jahrhundert. Schkeuditz 1909

Scharnhorst, G.: Studien zur Entwicklung des Heldenideals bei Andreas Gryphius. Diss. Wien 1955 (Maschinenschr.)

Schieck, W.: Studien zur Lebensanschauung des Andreas Gryphius. Diss. Greifswald 1924

Schlosser, E.: Andreas Gryphius, seine Persönlichkeit und Weltanschauung. Diss. Prag 1931

Schmidt, E.: Aus dem Nachleben des Peter Squenz und des Dr. Faust. In: Zeitschrift f. dt. Alt. 26 (1882), S. 244 ff.

Schöffler, H.: Deutscher Osten im deutschen Geist. Von Martin Opitz zu Christian Wolf. Frankfurt a. M. (1940)

Schöne, A.: Figurale Gestaltung: Andreas Gryphius. In: A. Schöne, Säkularisation als sprachbildende Kraft. Palästra Bd. 226, Göttingen 1958, S. 29 ff.

Schönle, G.: Das Trauerspiel „Carolus Stuardus" des Andreas Gryphius. Bonn

1933. (Enthält im Hauptteil ein Kapitel aus der Kölner Diss. 1930)

Schoolfield, G. C.: Motion and the Landscape in the Sonnets of Andreas Gryphius. In: Monatsh. f. dt. Unterr. 42 (1952), S. 341 ff.

Schrembs, E. F. E.: Die Selbstaussage in der Lyrik des 17. Jahrhunderts bei Fleming, Gryphius, Günther. Diss. München 1953 (Maschinenschr.)

Staiger, E.: Die christliche Tragödie. Andreas Gryphius und der Geist des Barock. Eckart 12 (1936), S. 145 ff.

Steinberg, H.: Die Reyen in den Trauerspielen des Andreas Gryphius. Diss. Göttingen 1914

Stieff, C.: Andreae Gryphii Lebenslauf. In: Schlesisches Historisches Labyrinth ... Breslau 1737, S. 805 ff.

Stosch, B. S.: Last- und Ehren- auch daher immerbleibende Danck- und Denck-Seule ... A. Gryphii. Leipzig 1665

Strehlke, F.: Leben und Schaffen des Andreas Gryphius. In: Archiv f. d. Studium d. Neueren Sprachen und Literaturen 22 (1857), S. 81 f.

Strutz, A.: Andreas Gryphius. Die Weltanschauung eines deutschen Barockdichters. Wege zur Dichtung 11, Horgen u. Zürich 1931

Szyrocki, M.: Der junge Gryphius. Neue Beiträge zur Literaturwissenschaft Bd. 9, Berlin 1959

Tarot, R.: Literatur zum deutschen Drama und Theater des 16. und 17. Jahrhunderts. Ein Forschungsbericht (1945–1962). Euphorion N. F. 57 (1963), S. 411 ff.

Trautmann, K.: Der Papinianus des Andreas Gryphius als Schulkomödie in Speyer (1738). In: Archiv f. Lit. Gesch. 15 (1887), S. 222 f.

Trunz, E.: Andreas Gryphius. In: Wiese: Die deutsche Lyrik. (1956), Bd. 1, S. 133 ff.

—: Thränen in schwerer Krankheit. In: Wege zum Gedicht, hrsg. von R. Hirschenauer und A. Weber. München 1957, S. 71 ff.

Vretska, K.: Gryphius und das antike Drama. In: Mitteil. d. Ver. klass. Philologen in Wien (1925/26), S. 79 ff.

Weber, A.: Lux in Tenebris lucet. Zu Andreas Gryphius' Über die Geburt Jesu. In: Wirkendes Wort 7 (1956/57), S. 13 ff.

Weilen, H. v.: Aus dem Nachleben des Peter Squenz und des Faustspiels. In: Euphorion 2 (1895), S. 629 ff.

Wentzlaff-Eggebert, F.-W.: Dichtung und Sprache des jungen Gryphius. Die Überwindung der lateinischen Tradition und die Entwicklung zum deutschen Stil. In: Abh. d. Preuß. Akad. d. Wissensch. phil.-hist. Klasse 7, Berlin 1936

Wessels, P. B.: Das Geschichtsbild im Trauerspiel Catharina von Georgien des Andreas Gryphius. Tilliburgis. Publikaties van de katholieke Leer gangen Nr. 7. s'Hertogenbosch 1960

Wieszner, G. G.: Der „Peter Squenz" der Laienspiele der Volkshochschule Nürnberg. In: Mitteil. aus d. Stadtbibl. Nürnberg, Nürnberg 1957, H. 2

Wintterlin, D.: Pathetisch-monologischer Stil im barocken Trauerspiel des Andreas Gryphius. Diss. Tübingen 1958 (Maschinenschr.)

Wissowa, T.: Beiträge zur Kenntnis von Andreas Gryphius Leben und Schriften. Programm Glogau 1876

Wolters, P.: Die szenische Form der Trauerspiele des Andreas Gryphius. Diss. Frankfurt a. M. 1958

Wysocki, L.: Andreas Gryphius et la tragédie allemande au 17me siécle. Paris 1893

Zeberins, M.: Welt, Angst und Eitelkeit in der Lyrik des Andreas Gryphius. Diss. Münster 1950 (Maschinenschr.)

Żygulski, Z.: Andreas Gryphius' Catharina von Georgien, nach ihrer französischen Quelle untersucht. Lwów 1932

# NAMENREGISTER

Alba, Fernando Alvarez, Herzog von Toledo, 13
Baker, Richard, 31
Balde, Jakob, 75
Bauhuis, 58
Biccius, Gregor, 33
Bidermann, Jakob, 58
Boecler, Johann Heinrich, 30, 33
Boor, Helmut de, 56
Borck, Michael, 23
Borrhi, Josephus Franciscus, 32
Botsack, Johann, 22, 24
Boxhornius, Marcus Zuerius, 30
Brant, Sebastian, 113
Caracalla, 92
Causinus, Nicolaus, 19, 99
Cedrenus, Georg, 84
Comenius, Amos, 13, 16, 22
Constantin L'Empereur, 29
Corneille, Thomas, 114
Cramer, Daniel, 19
Cromwell, Oliver, 90
Crüger, Peter, 22, 24
Czepko, von Reigersfeld, Daniel, 9, 10, 35
Dach, Simon, 54
Dannhauer, Johann Konrad, 33

Dante, Alighieri, 54
Deutschländer, Rosina, 34, 77
Dietzel, Caspar, 33, 66, 101
Dihr zu Streidelsdorf, Christoph von, 29
Dohna, Carl Hannibal von, 25, 26
Dorschius, Johann, 33
Eder, Michael, 15, 16, 17, 18, 20, 24, 33
Elzevir, Ludwig, 31, 65, 79
Erhard, Anna, 13, 15
Ferdinand III., Kaiser, 28, 110
Ferdinand IV., römisch-deutscher König, 110
Flavius, Josephus, 38
Fleming, Paul, 53, 54
Flemming, Willi, 7, 9, 50, 53, 85, 101
Funck, Wigand, 26, 56
Galilei, Galileo, 22
Georg Wilhelm, Kurfürst von Brandenburg, 44
Georg Wilhelm, Herzog von Liegnitz, 112, 113
Gnerich, Ernst, 39
Golius, Jacobus, 30
Gordon, Franz, 21
Gottsched, Johann Christoph, 102

Grimmelshausen, Hans Jakob
  Christoffel von, 7
Gryphius, Anna Rosina, 34
  Christian, 34,35,36,37,63,76,101
  Daniel, 34
  Elisabeth, 34
  Konstantinus, 34
  Maria, 34
  Paul (Vater), 13, 14, 15
  Paul (Bruder), 16, 17, 25, 26, 44
  Theodor, 34
Gundolf, Friedrich, 103
Heermann, Johannes, 40, 54
Heinrich II., Herzog von Nieder-
  schlesien, 35
Heinsius, Daniel, 30
Herodes, 38
Heurnius, Otto, 30
Hevelius, Johannes, 22
Hirtenberg, Joachim Pastorius von,
  30
Hoffmann, Barbara, 117
Hofmann von Hofmannswaldau,
  Christian, 9, 21, 31, 34, 37
Holten, Arnold von, 20
Horaz, 68
Hünefeld, Andreas, 22, 23
Hütter, Johann, 33, 66
Johann de la Lande, 114
Johann Christian, Herzog von
  Liegnitz, 112, 113
Johannes, 56, 57
Jollifous, Joris, 101
Jonau, Hans Georg von, 65
Karl I., englischer König, 32, 89, 90,
  101, 102
Karl II., englischer König, 90
Kepler, Johannes, 22
Keysersberger, 113
Kircherus, Athanasius, 32
Klaj, Johann, 39
Kopernikus, Nikolaus, 22, 74
Krause, Martin, 20
Kuhlmann, Quirinus, 35
Lamormain, Wilhelm, 25
Lange, Elias, 11

Leo Armenius, 80
Leubscher, J. T., 7, 14, 15, 24, 30,
  31, 35, 36, 47
Linderhausen, Konstantin, 27
Lischke, Johann, 74
Livius, 17
Löwenburg, Burckhardt von, 34
Logau, Friedrich von, 9, 54, 74
Lohenstein, Daniel Caspar von, 9, 21,
  35, 102
Ludwig XIII., König von Frankreich,
  19, 99
Luise von Anhalt, 112
Lunding, Erik, 79
Luther, Martin, 40
Manheimer, Victor, 7, 16, 23, 44,
  45, 49, 51, 52, 55, 64
Manlius, Georg, 12
Maria Henrietta, König von England,
  32
Martial, 45, 73
Matthäus, 38
Mawick, Walter, 79
Mesme, Comte d'Auaux, Claude de,
  21
Michael I., Kaiser von Byzanz, 80
Miller, Joanne, 12
Mochinger, Johann, 22
Molière, Jean Baptiste, 103
Mühlpfort, Heinrich von, 35
Newald, Richard, 78
Niemtzsch, Friedrich von, 17
Nuglisch, Oskar, 94
Ogier, Karl, 20, 21, 22
Opitz, Martin, 9, 11, 12, 13, 16, 21,
  22, 23, 30, 49, 50, 58, 66, 68, 69, 73
  78, 96
Oppersdorf, Rudolf von, 13, 15
Origanus, 31
Otto, Caspar, 18
Ovid, 38
Owen, John, 73, 45
Palm, 99, 112
Papinian, 92
Perez de Montalvan, Juan, 95
Petrarca, 54

Piastus, Herzog von Polen, 113
Pindar, 68
Plard, Henri, 8, 79, 80
Plautus, 105
Plavius, J., 23
Plutarch, 17
Popiel, Herzog von Polen, 113
Popschitz, Wolfgang von, 31
Powell, Hugh, 7, 8, 97
Magister Quartus, 14
Quinault, Philippe, 109
Razzi, Hieronymus, 113, 114
Rebhan, Johannes, 33
Reußner, Johann, 66
Riccius, 24
Richelieu, 31
Rißmann, Maria, 18, 56, 77
Rist, Johann, 39
Rolle, Jakob, 18
Ronsard, Pierre de, 68
Ruar, Martin, 20
Sachs, Hans, 104
Samuel, 100
Sarbiewski, Maciej Kazimierz, 56, 58
Saumaise, Claude de, 30
Schaffgotsch, Christoph Leopold von,
    113
Scheffler, Johannes (Angelus Silesius),
    9
Schieck, Wolfgang, 84
Schlegel, Wilhelm, 31, 33
Schmid, Johann, 33
Schöffler, H., 9
Schönaich, 12
Schönborn, Georg von, 24 ff., 36, 43,
    44, 60, 79, 116, 117
    Elisabeth, 28, 63, 64, 65
    Georg Friedrich, 26, 28, 29

    Johann Christoph, 26, 28, 29
Schöne, Albrecht, 7, 8, 91
Schottel, Justus Georg, 51
Schröer, Johann Ernst, 20
Schwenter, Daniel, 104
Seneca, 78
Seton, Alexander von, 19, 21
Shakespeare, William, 84, 103, 104
Simon, Josef, 84
Sophokles, 78
Statius, 38
Stegmann, Josua, 77
Steinberg, Hans, 97
Stieff, C., 36
Stosch, B. S., 7, 16, 18, 19, 24, 29
    31, 117
Streller, Siegfried, 57
Stubenberg, Johann Wilhelm, 35
Textor, Elisabeth, 117
Titz, 21
Trotzius, Peter, 33
Tscherning, Andreas, 39, 54
Vergil, 38
Viëtor, Karl, 69
Vondel, Joost van den, 78, 99, 100,
    102, 109
Weckherlin, Georg Rudolf, 69
Wegierski, Andreas, 16
Wentzlaff-Eggebert, F. W., 7, 39,
    45, 75, 99
Wilhelm, Herzog von Sachsen, 35
Wladyslaw IV., König von Polen,
    21, 23
Zesen, Philipp von, 51, 53
Ziekursch, 110
Ziemovit, Herzog von Polen, 112
Zonaras, Johannes, 84